KB077206

# 즐겁고
# 건강한
# 고무줄놀이
# 레시피

**놀이 교육지도 다이어트 운동을 위한
음악고무줄놀이 프로그램**

즐겁고 건강한 고무줄놀이 레시피

발    행 | 2020년 09월 04일

저    자 | 주종민

펴낸이 | 한건희

펴낸곳 | 주식회사 부크크

출판사등록 | 2014.07.15.(제2014-16호)

주    소 | 서울특별시 금천구 가산디지털1로 119 SK트윈타워 A동 305호

전    화 | 1670-8316

이메일 | info@bookk.co.kr

ISBN | 979-11-372-1718-8

# 즐겁고
# 건강한
# 고무줄놀이
# 레시피

**놀이 교육지도 다이어트 운동을 위한
음악고무줄놀이 프로그램**

성장기 어린이들이 고무줄놀이를 하면 심폐지구력과 근력이 좋아지고 반복하여 상하로 점프하는 동작을 함으로써 성장판을 자극해 키 성장에도 큰 도움을 줍니다. 또한 어른들이 고무줄놀이를 꾸준히 한다면 마찬가지로 심폐지구력과 근력을 기를 수 있으며 점프하는 동작들을 함으로써 골밀도가 좋아져 골다공증 예방에도 효과가 있습니다. 다이어트에 효과가 있는 것은 두말할 나위가 없습니다.

이렇게 좋은 고무줄놀이가 사라져가는 모습이 안타까워서 저자가 고무줄놀이 방법을 책으로 정리하여 보았습니다.
지금 어린이들은 주말이나 학교 일과를 마치고 집에 있는 동안에 스마트폰을 이용해 게임을 하거나 유튜브를 시청하고 SNS를 활용해 간접적 인간관계에 매진하는 등 신체활동을 거의 하지 않는 실정입니다

또한 코로나19의 대유행으로 인하여 어린이들의 움직임 욕구 해소가 더욱 어려워지고 있습니다.

이에 본 저자가 다년 간 학생들, 일반인, 교사들을 지도하고 연구한 결과를 바탕으로 고무줄놀이에 관련된 내용을 체계적으로 텍스트로 정리하여 본 책을 펴내게 되었습니다.

흔히 여럿이서만 고무줄놀이가 가능하다고 생각하겠지만 주변의 사물이나 지형지물을 이용하여 혼자서도 고무줄놀이를 즐길 수 있습니다. 이 책에는 다양한 고무줄놀이 동작 사진이 수록되어 있고 동영상 QR코드가 링크되어 있지만 이 모든 것은 다 혼자서 주변 환경을 이용하여 고무줄을 묶어 작업한 내용들이라는 것이 그 증거입니다.

이 책이 움직임의 욕구가 큰 성장기 어린이들에게는 운동을 통한 신체, 체력 발달을, 운동을 좋아하는 성인들에게게는 과거의 향수와 균형 잡힌 몸매를 선사할 수 있는 좋은 가교 역할을 할 수 있기를 기대해봅니다.

# - 추천사 -

줄 하나만 있으면 언제 어디에서나 웃음꽃을 피우며 폴짝폴짝 뛰고 놀았던 소중한 추억의 고무줄놀이, 여기에 선생님만의 노하우를 담아 재미있게 배우니 남녀노소 누구나 건강해지지 않을 수 있을까?

흥얼흥얼 노래를 부르며 리듬에 맞춰 몸을 움직일 수 있는 참 재미있는 고무줄놀이, 우리 동네 친구들과 함께 즐겁고 건강한 고무줄 나라로 여행을 떠나요!

- 김선영 ‖ 공주교육대학교부설초등학교 교사, 공주교육대학교 체육학 석사 전공

고무줄놀이는 요즘 아이들에게는 익숙하지 않은 놀이이다. 어른들에게 추억이 담긴 놀이로만 알고 있는 아이들이 많다. 고무줄놀이는 기억으로만 남겨두기에는 아쉬움이 많은 놀이이다 공간을 많이 차지하지 않고 필요한 도구는 고무줄뿐이다. 아이들에게 놀이의 즐거움과 함께 노는 기쁨을 알려주기에 이 책을 추천한다.

- 이상민 ‖ 충남 당진 기지초등학교 교사

본 책은 '고무줄놀이'라는 전통적 놀이를 주제로 교육 현장과 일상생활 속에서 다양하게 활용 가능한 활동을 제시해준다. 고무줄놀이의 특성이나 일반적 규칙과 같은 이론적 배경과 함께 기본 기술, 여러 줄 고무줄, 심화 기술, 운동 프로그램 등 다양한 형태의 실습 놀이 방안이 상세하게 소개되어 있다. 특히, 저자가 교육현장에서 녹여낸 오랜 경험과 음악줄넘기에 관한 노하우를 고무줄놀이에 접목시켜 많은 이들의 운동 욕구를 자극할 요소와 아이디어들이 책의 곳곳에 나타나 있다. 고무줄놀이 안무를 음악에 맞춰 시연하거나 따라하고자 할 때 QR코드를 이용하여 동영상을 재생시킬 수 있는 점도 효용 가치가 크다. 코로나19로 지쳐 있는 생활 속에서 아이들이 건강한 몸과 즐거운 마음을 기르는데 이 책이 적극 활용되길 기대한다.

- 육건우 ‖ 경기도 화성 치동초등학교 교사

# CONTENT

# CONTENT

# 제1부
# 고무줄놀이?
# Chinese Jump Rope?

# 고무줄놀이에 관하여

네이버나, 다음, 구글과 같은 포털 사이트나 유튜브 검색창에 한 번이라도 '고무줄놀이'를 입력해 본 적이 있는 사람은 알 것이다. 요즘에는 스마트폰을 활용하여 인터넷 공간에 아주 많은 영상자료를 생산해 내고 있지만 '고무줄놀이'에 관해서는 인터넷을 통해 얻을 수 있는 정보가 그렇게 많지 않다.

고무줄놀이에 관하여 자세히 알아보다가 우연히 'Chinese Jump Rope'라는 검색어로 검색을 해 보고 놀라지 않을 수 없었다. 한글로 '고무줄놀이'를 검색했을 때보다 훨씬 많은 양의 정보를 얻을 수가 있었기 때문이다.

더욱 놀라웠던 것은 중국에서도 고무줄놀이를 즐겨 왔고 가까운 일본에서도 고무줄놀이가 크게 유행하였었다는 점이다. 심지어 유럽 쪽에서도 아주 오랜 옛날부터 고무줄놀이를 활발히 해 왔다는 사실을 새롭게 알게 되었다.

고무줄을 고정시켜 높낮이에 변화를 주며 노래에 맞춰 뛰어 넘는 고무줄놀이는 '고무줄놀이', '고무줄넘기', '고무 뛰기'라고도 불린다.

그럼 처음부터 고무줄 놀이를 고무로 하였을까? 그건 아니다.

최초로 고무를 사용한 사람들은 중앙아메리카 원주민들이었다 중앙아메리카에서 최초로 문명을 이룬 '올멕 문명'의 '올멕'은 '고무 인간'을 의미한다고 한다. 아즈텍족이 올멕 문명을 발견하면서 고무나무를 많이 본 것에서 유래한 이름이다.

중앙아메리카 원주민들은 고무 수액을 채취하여 발을 담근 후

석고를 굳히듯이 고무를 굳게 한 다음 다듬어서 신발로 사용하였다. 상품성이 떨어지는 흐물흐물한 수액은 씹기도 했는데 이것이 바로 오늘날 껌의 유래이다.

이렇게 사용되던 고무는 19세기부터 상업적으로 쓰이기 시작하였다. 우리나라에서는 1919년 서울에 대륙고무공장이 설립돼 고무신을 만들게 된 것이 시초이다. 이 시기 이후부터 우리나라에서는 고무줄을 이용한 고무줄놀이가 시작되었을 것이라 생각한다.

주로 상업용으로 생산되던 고무는 귀했기 때문에 고무줄을 구하지 못한 아이들은 새끼줄과 같은 줄을 이용해 줄을 뛰어 넘는 놀이를 하였다고 한다. 그런데 시간이 가면서 고무줄을 대체할 물건들을 찾아 사용하게 되었는데 대표적인 것이 바로 '타이어'이다.

자전거나 자동차의 폐타이어, 심지어는 이제는 신지 못하게 된 고무신을 잘라 이어 붙여서 고무줄놀이를 하였다고 한다. 그리고 시간이 지나 고무줄이 대중들에게 보급되면서 우리가 흔히 고무줄놀이 하면 떠올리는 검정고무줄을 이용해 고무줄놀이를 하게 되었다.

요즘에는 고무줄놀이 전용으로 제작된 질 좋고 색깔이 예쁜 고무줄들도 판매되고 있다. 하지만 고무줄놀이는 그 인기가 예전만 하지는 못한 것 같다.

1970년대~1990년대 동네 골목길과 학교 운동장은 한 때 고무줄놀이 열풍이었는데 말이다.

초등학교 다니던 시절이 생각났다.

'딩동 댕동~'

모두가 기다리는 점심시간이다.

우리들은 저마다 가져온 도시락을 열고 허겁지겁 밥을 먹었다. 왜냐하면 점심시간은 쉬는 시간에 비하면 긴 시간 동안 놀 수 있는 기회였기 때문이었다.

남자인 나는 친구들과 주로 술래잡기를 하며 학교 건물과 운동장 여기저기를 누비고 다녔었다. 놀이가 지겨워질 때 쯤 우리가 빼 놓지 않고 들렀던 곳은 바로 운동장의 한 가운데에 있던 커다란 느티나무 아래의 시원하고도 큰 그늘이다. 거기에 가면 언제나 우리 반 여자아이들이 다른 반 여자아이들과 함께 고무줄놀이를 하고 있었다. 그리고 그 옆에는 나무 한쪽에 고무줄을 묶고 한 명이 고무줄을 잡아주며 언니들이 하는 동작을 어설프게 따라하는 저학년 동생들이 있었다.

　한창 에너지가 넘치던 우리가 이 광경을 보고 그냥 지나칠 수는 없었다. 우리 반에서 가장 인기가 많은 A에게 관심을 가지고 있는 내 친구 B는 A에게 조금이나마 관심을 끌고 싶어 고무줄놀이를 하는 고무줄의 가운데를 잡고 쭉 늘려서 저만치 뒤로 갔다가 놓는다. 그러면 고무줄놀이를 하던 여자애들이 고무줄놀이를 방해했다며 화가 나서 잡으러 달려온다.

　술래잡기를 매일해서 달리기라면 자신 있는 우리도 안 잡히려고 엄청 빨리 도망가지만 고무줄놀이를 자주 해서 심폐지구력과 다리 근력이 발달한 여자애들도 만만치 않다. 쫓고 쫓기는 추격전이 벌어지는 사이를 노려 다른 반 남자애 한 명이 뾰족한 돌멩이를 하나 주워 와서 고무줄을 자르고 도망간다.

　난장판이 따로 없다.

　다음날 점심시간에 같은 장소에 또 와보면 고무줄이 끊어졌던 자리에 매듭이 매어져 있다. 끊어진 고무줄을 이어서 묶은 것이다.

　고무줄놀이를 하는 여자애들 그룹 중에서도 끊어진 고무줄을 이어 묶은 매듭의 개수가 많으면 많을수록 그만큼 인기가 많다는 뜻이 되기 때문에 어떻게 보면 매듭을 묶어서 고무줄놀이를 하면 짜증이 날 법도 한데 다음날 가서 보면 또 아무 일도 없었다는 듯이 고무줄놀이를 하는 여자애들이 참 신기하다는 생각도 들었다.

집사람은 어렸을 때 밤 12시까지 동네 골목에서 고무줄놀이를 했었을 정도로 고무줄놀이 마니아였다고 한다.

옥상에 있는 빨래줄 거는 기둥에 고무줄을 묶어놓고 고무줄놀이를 하는 친구들도 있었다니 이 당시 고무줄놀이의 인기는 요즘 유행하는 여타 놀이들과 비교도 안 될 정도로 많았다는 생각이 든다.

친구들끼리 주머니에 고무줄을 하나씩 가지고 다니면서 쉬는 시간이나 점심시간, 또는 아무 시간이나 틈만 나면 고무줄놀이를 하였다고 한다.

고무줄놀이는 원래 3명 이상 있을 때 하였던 놀이이다. 두 명이 양쪽에서 마주보고 고무줄을 잡아주고 나머지 인원이 고무줄을 이용해 동작을 한다.

그러나 혼자이거나 인원이 2명일 경우, 고무줄놀이를 하고 싶을 때에는 어떻게 해야 할까?

이런 경우에도 물론 고무줄놀이를 할 수 있다.
이전에 고무줄놀이 연수를 하였던 체육관에서는 혼자서 연습할 경우 네트 지주대의 양쪽에 고무줄을 묶어 놀이를 한 적도 있다.

# -❷-
# 인원 수에 따른 고무줄놀이 방법

## 가. 1명이(혼자서) 하는 경우
- 나무, 전봇대, 놀이터 놀이기구의 기둥과 같은 지형지물의 양쪽에 고무줄을 묶어서 놀이를 하는 방법이 있다.
- 네트 지주대가 있는 경우 지주대의 양쪽에 고무줄을 매고 고무줄놀이를 할 수 있다.

## 나. 2명이 함께 하는 경우
- 고무줄 한 쪽 끝을 나무, 전봇대, 놀이터 놀이기구의 기둥과 같은 지형지물을 활용해 묶어서 놀이를 할 수 있다.

## 다. 3명 이상 함께 하는 경우
- 고무줄 양쪽 끝을 각각 한 사람씩 잡고 고무줄놀이를 할 수 있다. 가장 일반적인 경우이다.

> **Tip** 두 줄 고무줄 놀이를 하는 경우-양 끝에 의자를 두 개 놓고 의자의 앞 두 개의 다리에 각각 고무줄을 걸어 고무줄놀이를 할 수 있다.

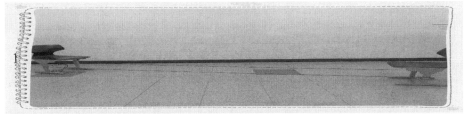

**의자 2개를 이용하여 혼자 두 줄 고무줄 놀이를 하는 경우 고무줄 배치**

# - ❸ -

# 만드는 모양에 따른 놀이 방법

## 가. 삼각형 고무줄놀이

- 고무줄을 반으로 접어 매듭을 지은 뒤 고무줄 안에 3명이 들어가 발목이나 무릎에 고무줄을 걸어 고무줄이 삼각형 모양을 이루도록 만든 후, 삼각형의 변을 이용하여 1명이 이동하면서 또는 3명이 제자리나 동시에 이동하며 고무줄놀이를 할 수 있다.

## 나. 사각형 고무줄놀이

- 삼각형 고무줄놀이와 같은 방법인데, 고무줄 안에 들어가 발에 고무줄을 거는 사람의 수를 4명으로 늘려 고무줄이 사각형 모양을 이루도록 만든 후, 사각형의 변을 이용해 고무줄놀이를 할 수 있다.

## 다. 기타

-오각형, 육각형 모양 등 줄을 걸어주는 사람 수에 따라 고무줄놀이에 이용되는 고무줄 모양의 자유로운 변형이 가능하다.

삼각형 고무줄놀이　　　　　　사각형 고무줄놀이

**Tip** 고무줄 보관 방법

**매듭을 지어서 보관하기**

QR코드 스캔

**Tip** 고무줄 푸는 방법.

(이 때, 맨 처음 묶었던 매듭은 풀고 반대쪽 끝을 잡고 빙빙 돌리다가 원심력의 힘으로 줄을 던져 쭉 펴지게 한다.)

QR코드 스캔

# - ④ -
# 고무줄놀이의 특성

가. 운동량을 본인 스스로 조절할 수 있다.

나. 운동 장소에 특별한 제약을 받지 않는다.

다. 용구가 간편하고 여럿이 어울려서 할 수 있어 사회성 발달에 도움이 된다.

라. 고무줄놀이는 유산소 운동으로서 체지방 감소에 효과가 있다.

마. 자신의 산체를 자유롭게 사용하여 움직이고 표현할 수 있다는 자신감을 가지게 해주어 자아존중감을 높여준다.

바. 노래에 맞추어 뛰고 동작을 만드는 과정을 통해 리듬감과 표현력을 길러준다.

사. 노래에 따라 다양한 동작들을 하기 때문에 쉽게 지루해지지 않는다.

아. 고무줄놀이는 놀이 도구의 특성상 놀이에 위험성이 없어 안전한 놀이이다.

# - ❺ -
# 고무줄놀이의 일반적 규칙

가. 놀이 승부는 마지막 단계까지 누가 먼저 끝냈느냐에 따라 결

나. 한 팀 인원이 모두 함께 하는 경우에는 줄에 걸린 사람이 있
  으면 그 사람만 밖으로 나오고 실력이 좋은 팀원이 해당 단계
  를 끝내고 줄에 걸린 사람 대신 줄을 넘어주면 탈락했던 사람
  은 다음 단부터 참여할 수 있다.

다. 만약 9단계까지 단계를 정해놓고 8단계에서 줄에 걸려 탈락
  했으면 앞에서 했던 것은 무효로 하고 다시 1단계부터 하는
  방법과 7단계까지는 통과한 것으로 하고 8단계부터 이어서
  다시 하는 방법이 있다.

라. 줄을 넘던 팀이 모두 탈락하면 줄을 잡아준 팀과 교대하여
  게임을 이어간다.

# - ⑥ -
# 고무줄놀이 에피소드

"헉헉, 하연아, 아빠는 더 이상 못하겠다. 잠깐만 쉬자. 덥다 더워"

딸과 함께 놀이터에 나와 고무줄놀이를 하였다. 40을 바라보는 지금, 나의 체력도 예전 같지는 않은가 보다.

아니다. 아이들의 체력이 좋기 때문일지도 모른다.

모처럼 주말을 맞아 큰 딸과 함께 아파트에 있는 놀이터에 나왔다. 주말이라 늦은 아침밥을 먹고 오전 11시가 다 돼서 밖에 나왔는데 오전이지만 6월이라 햇볕이 뜨겁다.

큰 딸은 난생 처음 고무줄놀이를 해본다고 기대에 부풀어 있다. 하지만 놀이에 참여하는 인원은 나와 딸 단 둘 뿐이다.

놀이터에 와서 가장 먼저 줄을 묶을 기둥을 찾아보았다. 잘 살펴보니 미끄럼틀 구조물 아래의 공간에 기둥 2개가 보였다. 그래서 양쪽 기둥 2개에 고무줄을 둘러 묶어 두 줄 고무줄놀이를 할 수 있도록 자리를 만들었다.

딸에게 먼저 두 줄 고무줄놀이의 단계별 기본 동작을 알려주었다. 딸이 어렵다는 말이 없이 곧 잘 따라한다. 어른인 나의 시선으로 동작이 단순하여 재미가 없어 보이기도 해서 물어봤더니 재미있다고 한다.

나는 10단계 정도 동작을 머리 속으로 구상하고 있었지만 딸은 고무줄놀이를 오늘 처음 해보는 것이기 때문에 3단계 정도까지의 동작을 원래 동작보다 단순화시켜서 알려주었다.

동작이 단순하여 3단계 까지 익히는데 불과 5분도 채 걸리지 않았다. 딸과 가위바위보를 하여 순서를 정하고 규칙을 정하였다.

규칙은 각 단계의 동작을 하는데 고무줄을 건들면 지는 것이 첫 번째 규칙이었고, 두 번째 규칙은 3단계까지 완수하면 높이를 높여 단계별 동작을 다시 처음부터 하는 것이었다.

고무줄이 거의 바닥 높이일 때에는 실력이 비슷하였는데 무릎 높이 이상

으로 올라가니 딸이 발을 어떻게 해야 할지 몰라 당황해 하였다.

긴 기간은 아니었지만 딸은 태권도와 무용을 배웠었기 때문에 스트레칭을 많이 하고 평소에도 앞으로 발차기를 하면 너무 높게 차서 무릎으로 자신의 코를 때릴 정도로 다리를 많이 올릴 수 있다. 그래서 고무줄 무릎높이쯤이야 누워서 떡먹기로 줄을 걸어 내릴 수 있다고 생각하였었다. 그래서 더욱 당황해 하는 모습이었다.

그래서 친절하게 높이 있는 고무줄에 다리를 걸어 내리는 요령을 설명해 주었더니 역시나 곧잘 따라하였다. 그렇게 얼마간 두 줄 고무줄놀이를 하다가 잠깐 휴식을 취하고 한 줄 고무줄놀이를 하기 위하여 고무줄을 풀어 기둥 양 쪽에 한 줄로 고무줄을 묶었다.

가장 먼저 찍기 동작을 알려주고, 넘어가기 동작을 알려준 후, 감기 동작을 알려주었다. 그리고 이 세 가지 기본동작을 결합한 간단한 안무를 가르쳐주었다.

딸이 감기 동작을 가장 재미있어 하였는데 이 동작이 가장 난이도가 높은 동작이기도 하여 처음에는 고전을 면치 못하였다.. 줄을 감을 때 무릎을 뒤로 접게 되는데 이 때 무릎이 위로 올라가는 것이 아니고 무릎을 뒤로 접어야 한다는 노하우를 알려 주었더니 또 즐겁게 동작을 하였다. 한참 하다가 너무 같은 동작만 계속 하는 것 같아서 다시 두 줄 고무줄놀이를 하자고 제안하였는데 딸은 감기 동작이 너무 재미있다면서 매일 감기 동작이 들어간 고무줄놀이만 하겠다고 나에게 이야기할 정도로 감기동작을 좋아하였다.

다음날 아침 일어나서 걷는데 몸이 살짝 무거운 느낌이 들었다. 웬만해서는 알이 베지 않는 몸인데 어제 살짝 무리를 했나보다. 그래서 딸에게 다리나 몸 상태가 어떠냐고 물어보니 자기는 괜찮다고 하였다. 고무줄놀이가 어린이들에게는 많이 무리가 가지 않는 운동이라는 생각이 들었다.

이틀이 지나자 나도 몸 컨디션이 원래대로 돌아왔다. 이후로 주말마다 시간을 내어 딸과 함께 놀이터에서 고무줄놀이를 하였는데 체중도 2~3kg 줄어들고 몸도 전체적으로 더 탄력적인 몸매로 변했다는 것을 느꼈다.

# 제2부
# 고무줄놀이
# 기본기술

# - ❶ -
# 찍기 동작

## 가. 기술 설명

QR코드 스캔

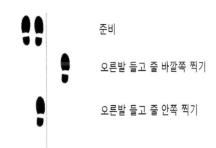

준비

오른발 들고 줄 바깥쪽 찍기

오른발 들고 줄 안쪽 찍기

- 다리를 들었다 내리면서 발의 끝을 지면에 대는 동작이다.

**Tip** 오른발을 들어 발끝으로 고무줄을 넘어가 지면에 대는 동작을 8박이나 16박자 동안 반복한다.

**Tip** 기본기술 중 가장 기본이 되는 쉬운 동작이다.

준비자세

오른발 들기

오른발로 줄 바깥쪽 찍기

오른발 들기

오른발로 줄 안쪽 찍기

## 나. 찍기 동작을 활용한 음악고무줄 안무

## – 학교종 –

안무: 주종민

| 파트 | 박자 | 고무줄놀이 동작 | 비고 |
|---|---|---|---|
| 전주 | 16 | 제자리 걷기 | |
| 노래 | 2 | 오른발 들기 | A동작(8박자) |
| | 2 | 오른발 줄 바깥쪽 찍기 | |
| | 2 | 오른발 들기 | |
| | 2 | 오른발 줄 안쪽 찍기 | |
| | 24 | A동작 3번 반복하기 | |
| 후주 | 16 | 제자리 걷기 | |

QR코드 스캔

# - ❷ -
# 넘기 동작

## 가. 기술 설명

QR코드 스캔

준비

오른발 넘어가기

왼발 넘어가기

오른발 넘어가기

왼발 넘어가기

- 고무줄을 앞, 뒤, 좌, 우로 뛰어서 넘는 동작이다. 찍기의 다음 단계 동작이다.
- 한발로 넘기, 두발로 동시에 넘기, 달려가다가 단번에 뛰어 넘기, 오른 발로 감기 동작을 하고 다른 발로 넘기 동작 등이 있다.

**Tip** 고무줄을 오른발, 왼발 순서로 넘어가 다시 고무줄 왼쪽으로 오른 발, 왼발 순서로 넘어오는 동작을 8박자나 16박자로 한다.

준비자세

오른발 넘어가기

왼발 넘어가기

오른발 넘어오기

왼발 넘어오기

준비자세로 돌아가기

나. 넘기 동작을 활용한 음악고무줄 안무

## - 정글숲 -

안무: 주종민

| 파트 | 박자 | 고무줄놀이 동작 | 비고 |
|---|---|---|---|
| 전주 | 16 | 제자리 걷기 | |
| 노래 | 1 | 오른발 넘어가기 | *A*동작(4박자) |
| | 1 | 왼발 넘어가기 | |
| | 1 | 오른발 넘어가기 | |
| | 1 | 왼발 넘어가기 | |
| | 28 | *A*동작 7번 반복하기 | |

QR코드 스캔

# - ❸ -
# 돌기 동작

## 가. 기술 설명

QR코드 스캔

준비

오른발 돌기

왼발 돌기

오른발 돌기

왼발 돌기

-고무줄을 뛰어넘으면서 몸을 회전하여 방향을 바꾸는 동작으로 넘기의 다음 단계 동작이다.

> **Tip** 오른발 옆에 고무줄을 두고 오른발이 먼저 고무줄 오른쪽으로 넘어간 후 왼발도 따라 넘어가 발을 바꾼다. 다시 오른발, 왼발 순으로 고무줄 왼쪽으로 넘어가는 동작을 반복한다.

준비자세

오른발 돌기

왼발 돌기

오른발 돌기

왼발 돌기

나. 돌기 동작을 활용한 음악고무줄 안무

## - 빙빙 돌아라 -

안무: 주종민

| 파트 | 박자 | 고무줄놀이 동작 | 비고 |
|---|---|---|---|
| 전주 | 16 | 제자리 걷기 | |
| 노래 | 1 | 오른발 넘어가기 | *A동작* |
| | 1 | 왼발 넘어가기 | |
| | 1 | 오른발 넘어가기 | |
| | 1 | 왼발 넘어가기 | |
| | 1 | 오른발 돌기 | *B동작* |
| | 1 | 왼발 돌기 | |
| | 1 | 오른발 돌기 | |
| | 1 | 왼발 돌기 | |
| | 4 | *A동작* | |
| | 4 | *B동작* | |
| | 4 | 줄을 양 발 사이에 두고 뒤로 가며 점프하기 | |
| | 4 | 줄을 양 발 사이에 두고 앞으로 가며 점프하기 | |
| | 4 | 줄을 양 발 사이에 두고 제자리에서 점프하며 박수치기 | |
| | 8 | *B동작* 2번 하기 | |
| 후주 | 6 | 박자에 맞춰 한발씩 구르기 | |

QR코드 스캔

# - ④ -
# 양발모아 돌기 동작

## 가. 기술 설명

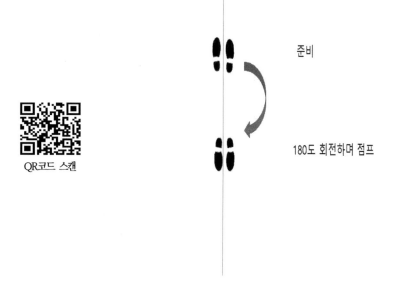

준비

180도 회전하며 점프

QR코드 스캔

- 발 사이에 고무줄을 두고 선다.
- 180도 회전하며 점프하고 제자리에서 1번 더 점프한다.

**Tip** 회전하려는 방향으로 고개를 살짝 돌려 시선을 먼저 이동하면 수월하게 회전할 수 있다.

나. 발 사이에 고무줄을 두고 양발모아 돌기 동작을 활용한 음악고무줄 안무

## - 호키포키 -

안무: 주종민

| 파트 | 박자 | 고무줄놀이 동작 | 비고 |
|---|---|---|---|
| 전주 | 16 | 리듬타기 | |
| 노래 | 1 | 시계방향으로 180도 회전하며 점프하기 | *A동작* |
| | 1 | 제자리에서 1번 점프하기 | |
| | 1 | 시계방향으로 180도 회전하며 점프하기 | |
| | 1 | 제자리에서 1번 점프하기 | |
| | 12 | *A동작*을 3번 반복 | |
| | 1 | 반시계방향으로 180도 회전하며 점프하기 | *B동작* |
| | 1 | 제자리에서 1번 점프하기 | |
| | 1 | 반시계방향으로 180도 회전하며 점프하기 | |
| | 1 | 제자리에서 1번 점프하기 | |
| | 12 | *B동작*을 3번 반복 | |
| 후주 | 16 | 리듬타기 | |

# - ⑤ -
# 두 줄에서 돌기 동작

## 가. 기술 설명

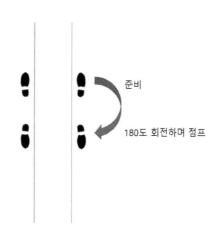

준비

180도 회전하며 점프

- 두 발을 벌려 두 줄의 바깥쪽에 각각 왼발과 오른발을 놓고 180도 회전하며 점프를 한 후 제자리에서 1번 더 점프한다.

**Tip1** 두 줄이 놓인 간격이 너무 넓으면 회전하기 어려우므로 두 줄 사이의 간격을 어깨너비보다 작게 벌린다.

**Tip2** 회전하려는 방향으로 고개를 살짝 돌려 시선을 먼저 이동하면 수월하게 회전할 수 있다.

나. 두 줄에서 돌기 동작을 활용한 음악고무줄 안무

# - 호키포키 -

안무: 주종민

| 파트 | 박자 | 고무줄놀이 동작 | 비고 |
|---|---|---|---|
| 전주 | 16 | 리듬타기 | |
| 노래 | 1 | 180도 회전하며 점프하기<br>(시계 방향) | *A동작* |
| | 1 | 제자리에서 1번 점프하기 | |
| | 1 | 180도 회전하며 점프하기<br>(반시계 방향) | |
| | 1 | 제자리에서 1번 점프하기 | |
| | 28 | *A동작*을 7번 반복 | |
| 후주 | 16 | 리듬타기 | |

- ⑥ -

# 차 기 동 작

---

## 가. 기술 설명

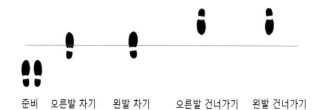

준비    오른발 차기    왼발 차기    오른발 건너가기    왼발 건너가기

- 고무줄을 발 등, 발 안쪽, 발 바깥쪽으로 고무줄을 차는 동작이다. 넘기 동작과 결합하여 동작을 하면 더욱 좋다.

**Tip** 고무줄을 앞으로 본 후, 오른발부터 발끝을 펴고 뛰면서 고무줄을 찬다. 왼발도 같은 방법으로 차며 왼발과 오른발을 번갈아가며 반복한다.

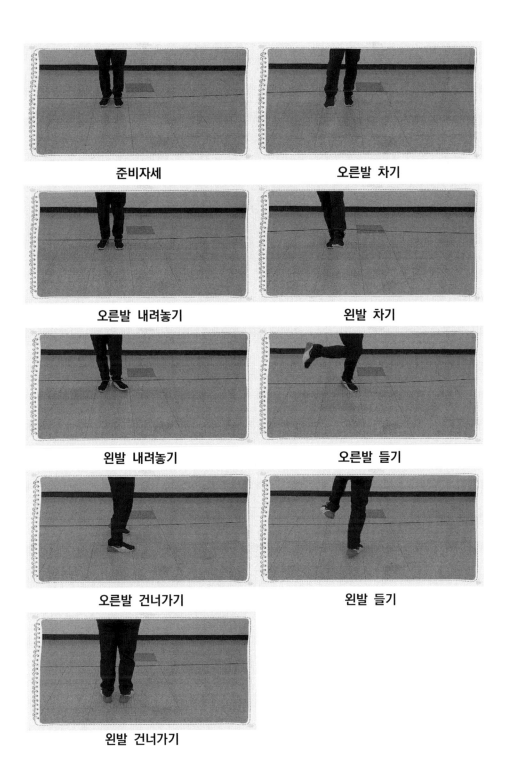

준비자세

오른발 차기

오른발 내려놓기

왼발 차기

왼발 내려놓기

오른발 들기

오른발 건너가기

왼발 들기

왼발 건너가기

나. 차기 동작을 활용한 음악고무줄 안무

# - 인디언 보이 -

안무: 주종민

| 파트 | 박자 | 고무줄놀이 동작 | 비고 |
|------|------|----------------|------|
| 전주 | 16 | 리듬타기 | |
| 노래 | 1 | 오른발 차기 | A동작 |
| | 1 | 오른발 내려놓기 | |
| | 1 | 왼발 차기 | |
| | 1 | 왼발 내려놓기 | |
| | 1 | 오른발 들기 | |
| | 1 | 오른발 건너가기 | |
| | 1 | 왼발 들기 | |
| | 1 | 왼발 건너가기 | |
| | 8 | A동작 | |

QR코드 스캔

# - ⑦ -
# 감기 동작

---

## 가. 기술 설명

준비

감기

풀기

- 크게 감는 동작과 푸는 동작으로 이루어져 있다.
- 오른발로 고무줄을 올려 시계 방향으로 감은 후 푸는 동작을 반복해서 한다.

> **Tip** 고무줄을 다리에 감았다 푸는 동작으로 난이도가 높은 동작이다. 감기 동작은 찍기, 넘기, 돌기, 차기 동작을 충분히 익힌 후 시도하면 수월하다. 그리고 구분동작으로 반복해서 연습 하는 것이 효과적이다.

## 나. 감는 동작

 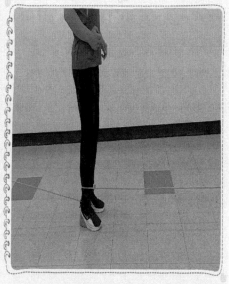

| 고무줄을 걸어 무릎을 뒤로 접기 | 고무줄을 감아 오른발 찍기 |

## 다. 푸는 동작

 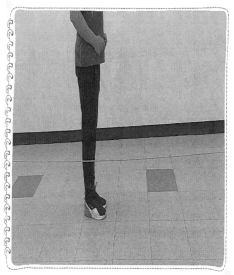

| 무릎을 뒤로 접어 들며 고무줄 풀기 | 오른발 찍기 |

라. 감기 동작을 활용한 음악고무줄 안무

# - 작은 동물원 -

안무: 주종민

| 파트 | 박자 | 고무줄놀이 동작 | 비고 |
|---|---|---|---|
| 전주 | 16 | 리듬타기 | |
| 노래 | 1 | 고무줄을 걸어 무릎을 뒤로 접기 | A동작 |
| | 1 | 고무줄을 감아 오른발 찍기 | |
| | 1 | 무릎을 뒤로 접어 들며 고무줄 풀기 | |
| | 1 | 오른발 찍기 | |
| | 4 | A동작 | |
| | 1 | 고무줄을 걸어 무릎을 뒤로 접기 | B동작(8박자) |
| | 1 | 고무줄을 감아 오른발 찍기 | |
| | 1 | 왼발 들기 | |
| | 1 | 왼발 고무줄 넘어가기 (시계방향으로 90도 돌기) | |
| | 1 | 왼발 들기 | |
| | 1 | 왼발 고무줄 넘어가기 (시계방향으로 90도 돌기) | |
| | 1 | 무릎을 뒤로 접어 들며 고무줄 풀기 | |
| | 1 | 오른발 찍기 | |
| | 8 | A동작 2번 | |
| | 8 | B동작 | |
| | 8 | A동작 2번 | |
| | 8 | B동작 | |
| | 8 | A동작 2번 | |
| | 8 | B동작 | |

QR코드 스캔

# - ⑧ -
# 밟기 동작

## 가. 기술 설명

준비

오른발 밟기

왼발 밟기

오른발 밟기

왼발 밟기

- 고무줄을 발바닥으로 밟는 동작으로 움직이는 고무줄을 정확히 밟기 위해서 집중력이 필요하다.

**Tip1** 오른발과 왼발을 번갈아가며 밟기 동작을 반복해서 한다.

**Tip2** 처음에는 고무줄이 바닥에서 떨어져 있으면 어렵기 때문에 줄을 바닥에 붙여 놓고 밟는 연습을 하면 좋다.

## 나. 밟기 동작을 활용한 음악고무줄 안무

## - 정글숲 -

안무: 주종민

| 파트 | 박자 | 고무줄놀이 동작 | 비고 |
|---|---|---|---|
| 전주 | 16 | 리듬타기 | |
| 노래 | 1 | 오른발 밟기 | *A동작* |
| | 1 | 왼발 밟기 | |
| | 30 | *A동작* | |
| 후주 | 1 | 두 발 동시에 밟기 | |

QR코드 스캔

# - ⑨ -
# 기본 동작 연습 방법

---

🔍 숫자를 세며 구령에 맞추어 연습한 후 노래에 맞춰 연습을 한다.
또는 손가락 고무줄놀이를 통해 연습한다.

## 가. 구령에 맞춰 연습하기
- 기본동작들을 숫자를 세며 구령에 맞추어 연습하고 방향과 거리 등에 변화를 준 동작들을 연습한다.

## 나. 노래에 맞춰 연습하기
- 구령에 맞춰 기본동작을 하는 것이 익숙해지면 노래에 맞춰 연습한다. 구령에 맞춰 연습할 때와 마찬가지로 먼저 기본동작을 연습한 후 방향과 거리 등에 변화를 준 동작들을 연습한다.

## 다. 손가락 고무줄놀이로 연습하기
- 고무줄놀이 동작을 익히거나 순서를 외울 때 손가락을 이용하면 간편하게 연습할 수 있다. 물론 고무줄놀이의 동작을 100% 모두 표현하기는 어렵지만 웬만한 동작들은 대부분 손가락을 이용하여서도 표현이 가능하다.

- 손가락에 인형이 신는 신발을 신고 동작을 연습하면 더욱 실감나게 연습할 수 있다.

- 고무줄이 없어도 표현이 가능한 동작들은 가운데 선을 그어 놓고 연습할 수 있다.

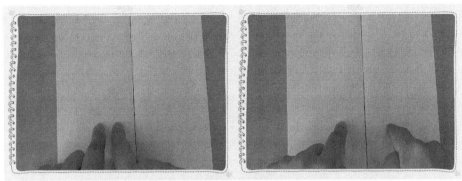

**가운데 선을 그어놓고 손가락을 이용하여 연습하는 사진 삽입**

`Tip1` 고무줄과 손가락을 이용한 연습 방법

-길이가 적당한 고무줄을 준비한다.

시중에서 구하기 쉬운 노란 고무줄을 이용하면 편리하다.

한 줄 고무줄놀이를 연습하는 경우에는 고무줄 가운데를 가위로 잘라 한 줄로 만든 뒤 동작을 연습한다.

`Tip2` 고무줄을 자르지 않는 경우

- 양쪽에서 두 사람이 편한 손가락을 이용하여 고무줄을 걸거나 잡고 나머지 한 사람이 손가락을 이용하여 고무줄놀이 동작을 연습한다.

- 손가락을 이용한 고무줄 기본 기술 연습 장면

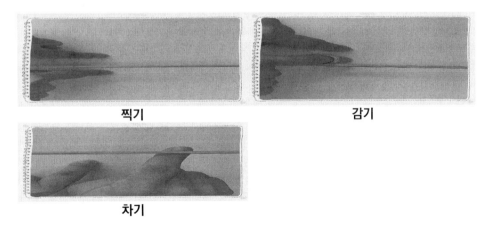

**찍기**          **감기**

**차기**

- 손바닥을 이용하여 연습할 수도 있다.

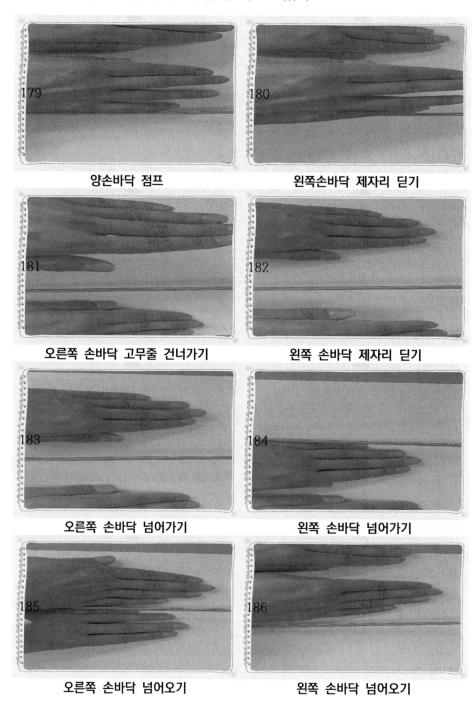

양손바닥 점프       왼쪽손바닥 제자리 딛기

오른쪽 손바닥 고무줄 건너가기     왼쪽 손바닥 제자리 딛기

오른쪽 손바닥 넘어가기      왼쪽 손바닥 넘어가기

오른쪽 손바닥 넘어오기      왼쪽 손바닥 넘어오기

라. 손바닥을 이용한 음악고무줄놀이 안무

# - 고드름 -

안무: 주종민

| 파트 | 박자 | 고무줄놀이 동작 | 비고 |
|---|---|---|---|
| 전주 | 16 | 리듬타기 | |
| 노래 | 1 | 양손바닥 점프 | A동작 |
| | 1 | 왼쪽손바닥 제자리 딛기 | |
| | 1 | 오른쪽 손바닥 고무줄 건너가기 | |
| | 1 | 왼쪽 손바닥 제자리 딛기 | |
| | 1 | 오른쪽 손바닥 넘어가기 | |
| | 1 | 왼쪽 손바닥 넘어가기 | |
| | 1 | 오른쪽 손바닥 넘어가기 | |
| | 1 | 왼쪽 손바닥 넘어가기 | |
| | 40 | A동작 | |

**Tip** 고무줄놀이를 할 때 몸이 불편하거나 뛰는 것이 어려운 사람들은 손가락 고무줄놀이를 해 볼 수도 있다.

# - ⑩ -
# 고무줄과 친해지기

- 가운데에 고무줄을 놓고 앞, 뒤, 왼쪽, 오른쪽의 4개의 구역에 각각 1,2,3,4번으로 번호를 매긴다.
- 어떤 번호 순으로 뛸지 정한다. 예를 들어 '3-1-2-4'와 같은 방식으로 순서를 정해본다.
- 1번 구역에서 양발을 모아 뛸 준비를 한다.
- '3-1-2-4' 순으로 구성한 경우 1번 구역에서 준비하고 있다가 3번 구역으로 점프하여 박수를 3번 치고, 1번 구역으로 점프하여 박수를 3번 친 후, 마찬가지로 2번 구역과 4번 구역도 앞에서와 같은 동작을 한다.
- 팀을 나눠 상대방 팀에게 점프하는 번호 순서를 정해주고 함께 노래를 부르면서 같은 팀원들은 동시에 동작을 한다. 노래가 끝날 때 까지 틀리지 않은 사람이 많이 남아 있는 팀이 이기는 놀이이다.

**Tip** 고무줄놀이 단계별 연습 프로그램

🔍 프로그램1

- 음악에 맞추어 스트레칭을 한다.
- 바닥에 선을 긋고 찍기 동작을 한다.
- 고무줄을 이용하여 찍기 동작을 한다.
- 숫자를 세며 구령에 맞추어 찍기 동작을 한다.
- 노래에 맞추어 찍기 동작을 한다.


🔍 프로그램2

-음악에 맞추어 스트레칭을 한다.
-두 발 사이에 두 줄 고무줄을 놓고 두 발을 동시에 고무줄 안으로 넘은 다음 밖으로 넘는다.
-노래에 맞춰 고무줄놀이를 한다.
-고무줄의 높이를 조절하며 고무줄놀이를 한다.

# 제3부
# 한 줄 고무줄놀이

# - ① -
# 한 줄 고무줄놀이 방법

🔍 한줄 고무줄놀이는 땅바닥에서 시작해서 발목, 장딴지, 무릎, 허벅지, 허리, 겨드랑이, 어깨, 목, 귀 한 줄은 머리, 머리위의 한 뼘, 머리 위의 두 뼘, 만세 부르기, 까치발 들고 만세 부르기 동작까지, 두 줄 고무줄놀이는 주로 겨드랑이높이까지만 진행한다.

높이의 단계는 참가자들이 정하기 나름이며 정한 단계를 먼저 통과하는 팀이 이긴다.

고무줄을 발로 밟은 상태에서 시작하기도 하고 발을 뒤로 올려 고무줄을 걸면서 시작하기도 한다.

## 가. 놀이 방법

1 손바닥 뒤집기를 하거나 가위바위보를 하여 가위바위보에 이긴 팀과 진 팀으로 나눌 수 있다. 또는 실력이 뛰어난 사람을 두 팀의 대표로 각각 정하여 가위바위보를 하게 해서 이긴 사람이 한 명씩 팀원을 선택하도록 할 수도 있다.

이 때, 한 사람이 남을 경우에는 양 팀을 왔다 갔다 하고(일명 '왔다리 갔다리', '갔다리', '깍뚜기'라 하였음) 인원이 적을 때에는 술래를 정하여 술래가 고무줄을 잡는다.

2 고무줄놀이를 하는 방법은 크게 3가지로 나눌 수 있다.

▷ 단계별로 정해진 동작을 완수하면 다음 단계로 넘어가며 놀이하는 방법

▷ 정해진 동작을 가지고 고무줄의 높이에 변화를 주며 놀이하는 방법

▷ 단계별로 정해진 동작을 모두 완수하면 고무줄 높이에 변화를 주며 놀이하는 방법

Tip1 단계별로 정해진 동작을 완수하면 다음 단계로 넘어가는 놀이방법의 예
- 단계는 감기-밟기-넘기-발 엇갈려 넘기-발 엇갈려 밟기로 간단하게 구성하였다.
- 1단계는 1학년이라고 하며 발목에 고무줄을 걸고 2단계는 2학년이라 하며 장딴지에 고무줄을 걸고 놀이를 한다.
3단계는 3학년으로 오금에 줄을 걸고 무릎높이에 고무줄을 걸고 놀이를 하며 마찬가지 방식으로 4학년은 엉덩이에, 5학년은 허리에, 6학년은 겨드랑이에, 7학년은 입, 8학년은 머리 위, 9학년은 만세 자세로 줄을 잡고 한다.
낮은 높이의 줄을 걸 때에는 발목이나 오금 뒤로 줄을 돌려 앞으로 빼내 한 손이나 두 손으로 잡는다.
높은 높이의 줄을 잡을 때에는 손에 감고 잡으면 부상의 위험이 있으므로 뒤 쪽에 줄의 여유분이 남도록 하여 잡는다.
각 학년마다 노래를 정하여 다른 노래를 부르며 놀이를 한다.

Tip2 고무줄이 너무 높으면 앞차기 하듯이 발을 앞으로 빼서 높이 있는 고무줄을 발에 걸며 동작을 시작한다.

**Tip3** 그냥 서 있다가 걸기를 하는 방법과 뒤돌아 있다가 줄 걸기하는 방법이 있다.

③ 아웃이 되는 경우
  ▷ 고무줄 여러 개를 이어 매듭을 지어 하는 경우 매듭 부분을 밟았을 때 아웃이 된다.
  ▷ 발목 높이에서는 고무줄을 건드리면 아웃이 된다.
  ▷ 넘기, 감기, 차기 등의 동작을 박자에 맞게 하지 못했을 경우 아웃이 된다.
④ 자기 팀에서 한명이라도 동작을 성공하면 아웃되었던 사람들도 다음 단계에 참여할 수 있다.
⑤ 팀원 모두가 아웃이 되면 순서를 교대한다.

**Tip1** 고무줄을 너무 팽팽하게 당기지 않는다. 왜냐하면 고무줄이 끊어지면서 다칠 우려가 있기 때문이다.

**Tip2** 나이가 어린 경우에는 다양한 동작을 하면 동작을 외우기 어려우므로 동작을 단순하게 하여 높이를 조절하는 방법으로 여러 단계로 놀이를 하면 좋다.

⑥ 마지막 단계나 마지막 높이까지 동작을 먼저 끝까지 하는 팀이 승리한다.
⑦ 단계를 마스터 하면 노래를 바꾸어 놀이를 하거나 팀을 다시 짜서 놀이를 하였다.
⑧ 한 줄로 놀이를 하다가 두 줄로 놀이하는 것으로 바꾸며 놀이할 수 있다.

# - ② -
# 떠나요! 고무줄놀이 추억 속으로!

**Q1:** 고무줄놀이에 대해 간단히 말씀해 주시겠어요?

**A:** 아이들이 커갈수록 두 줄 고무줄놀이는 재미가 없고 한 줄 고무줄놀이가 난이도 높기 때문에 한 줄 고무줄놀이를 많이 하게 되요. 편을 나눠서 게임을 하는데 잘하는 사람 한 명이 양 팀의 잘 안 되는 동작을 해 주는 사람 역할을 합니다. 잘하는 사람도 계속 잘 하진 못하니까 어느 단계에서 동작을 하지 못하면 상대팀에게 차례가 넘어가요.

**Q2.** 고무줄놀이 동작들은 누구에게 배워서 했나요?

**A:** 고무줄놀이는 상급생 언니들 하는 모습을 보고 배우거나 상급생 언니들에게 직접 배웠어요. 또는 친구들에게 배우고 동생들에게 배운 내용을 가르쳐 주었어요.

**Q3.** 고무줄놀이의 동작이 다양하고 복잡한 동작들도 있던데 어른들에게서는 배운 적이 없나요?

**A:** 네, 어른들에게 배우지는 않았어요. 요즘에는 전통놀이를 어른들에게 배우지만 그 때는 학교나 동네에서 자연스럽게 배웠어요.

**Q4.** 그 밖의 추억은 없나요?

**A:** 쉬는 시간에 고무줄놀이를 엄청 많이 했던 것 같아요. 그리고 튕기기, 자르기로 장난을 많이 했어요.

**Q5**: 튕기기 장난은 뭔가요?

**A**: 네, 튕기기 장난은 고무줄놀이를 하고 있는 친구들 고무 줄을 뒤로 쭉 당겼다가 놓는 장난을 말해요. 주로 관심 있는 친구가 있을 때 관심을 끌려고 그런 장난을 많이 했던 것 같아요.

**Tip** 고무줄을 뒤로 쭉 당겼다가 놓거나 끊는 등의 장난을 하면 안전사고의 위험이 있기 때문에 주의해야한다.

**Q6**: 그 때 놀이에 사용하던 검정 고무줄은 얼마 정도 하였 나요?

**A**: 아주 싸서 단 돈 100원 정도 했었던 것 같아요. 가격이 싸서 사기가 좋았고, 여러 명이 한 개씩 사서 고무줄을 연결해서 놀이를 하기도 했었어요.

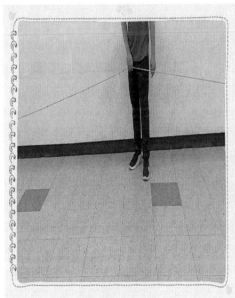

 튕기기 장난           자르기 장난

# -❸-

# 단계별 한 줄 고무줄놀이

---

## 가. 준비자세(3단계까지 동일)

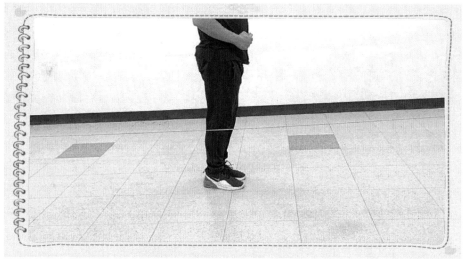

**양발 모으고 줄 왼쪽에 서서 준비**

- 양발을 모으고 줄의 왼쪽에 서서 준비한다.
- 대부분의 경우 오른발부터 먼저 동작을 시작한다.

> **Tip**  동작이 익숙해지면 줄의 오른쪽에 서서 준비자세
> 를 취하고 왼발부터 동작을 해 본다.

① 한 줄 고무줄놀이 1단계

▷ 감기

준비

감기

풀기

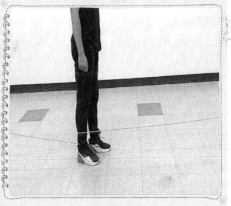

감기

풀기

② 한 줄 고무줄놀이 2단계

▷ 밟기

준비

오른발 밟기

왼발 밟기

오른발 밟기

왼발 밟기

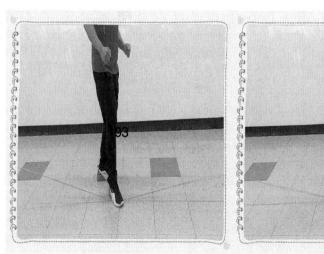

오른발 밟기                                    왼발 밟기

③ 한 줄 고무줄놀이 3단계
▷ 넘기

준비

오른발 넘어가기

왼발 넘어가기

오른발 넘어가기

왼발 넘어가기

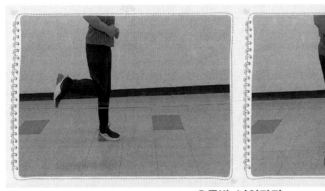

**오른발 넘어가기**

**왼발 넘어가기**

④ 한 줄 고무줄놀이 4단계
▷ 발 엇갈려 넘기

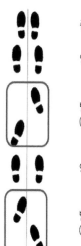

준비

양발 벌려 점프하기

발 엇갈려 넘기
(왼발을 앞으로)

양발 벌려 점프하기

발 엇갈려 넘기
(오른발을 앞으로)

**양발 벌려 점프하기**

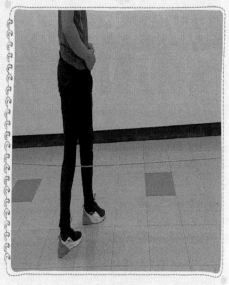

**발 엇갈려 넘기**

⑤ 한 줄 고무줄놀이 5단계
  ▷ 발 엇갈려 밟기

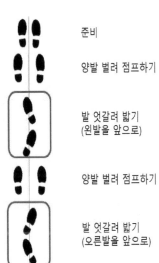

준비

양발 벌려 점프하기

발 엇갈려 밟기
(왼발을 앞으로)

양발 벌려 점프하기

발 엇갈려 밟기
(오른발을 앞으로)

**양발 벌려 점프하기**        **발 엇갈려 밟기**

# -④-
# 한 줄 고무줄놀이 안무

## 가. 한 줄 고무줄 안무 1

🔍 포인트 동작

준비

넘어가기

제자리 점프

넘어가기

제자리 점프

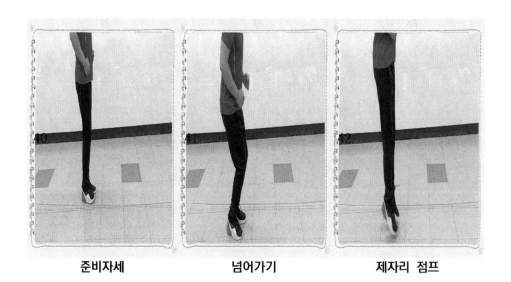

| 준비자세 | 넘어가기 | 제자리 점프 |

# - 목장길 따라 -

안무: 주종민

| 파트 | 박자 | 고무줄놀이 동작 | 비고 |
|---|---|---|---|
| 전주 | 16 | 리듬타기 | |
| 노래 | 1 | 오른쪽으로 넘어가기 | *A동작* |
| | 1 | 제자리 점프 | |
| | 1 | 왼쪽으로 넘어가기 | |
| | 1 | 제자리 점프 | |
| | 1 | 오른쪽으로 넘어가기 | |
| | 1 | 제자리 점프 | |
| | 1 | 왼쪽으로 넘어가기 | |
| | 1 | 제자리 점프 | |
| | 40 | *A동작* 반복 | |

QR코드 스캔

# 나. 한 줄 고무줄 안무 2

🔍 포인트 동작

준비　차기　차기　넘어가기　넘어가기

준비자세　　　　　　　　　　오른발 차기

왼발 차기　　　　　　　　　　오른발 넘어가기

왼발 넘어가기

# - 도토리 -

안무: 주종민

| 파트 | 박자 | 고무줄놀이 동작 | 비고 |
|---|---|---|---|
| 전주 | 16 | 리듬타기 | |
| 노래 | 2 | 오른발 차기 | A동작 |
| | 2 | 왼발 차기 | |
| | 2 | 오른발 넘어가기 | |
| | 2 | 왼발 넘어가기 | |
| | 56 | A동작 반복 | |
| 후주 | 16 | 리듬타기 | |

QR코드 스캔

# 다. 한 줄 고무줄 안무 3

 포인트 동작

준비

넘어가기

오른발 앞쪽으로 넘어가서 딛기

왼발 제자리 딛기

오른발 넘어오기

왼발 딛기

오른발 앞으로 넘어가서 딛기

왼발 제자리 딛기

감기

풀기

감기

풀기

준비자세 　　　오른발 넘어가기 　　　왼발 넘어가기

오른발 앞쪽으로 넘어가서 딛기 　　　왼발 제자리 딛기

오른발 넘어오기 　　　왼발 딛기

오른발 앞으로 넘어가서 딛기 　　　왼발 제자리 딛기

감기 동작1 　　　감기 동작2

풀기 동작1 　　　풀기 동작2

# - 산중호걸 -

| 파트 | 박자 | 고무줄놀이 동작 | 비고 |
|------|------|----------------|------|
| 전주 | 16 | 리듬타기 | |
| 노래 | 1 | 오른발 넘어가기 | A동작 |
| | 1 | 왼발 넘어가기 | |
| | 1 | 오른발 뒤로 넘어가서 딛기 | |
| | 1 | 왼발 제자리 딛기 | |
| | 1 | 오른발 넘어오기 | |
| | 1 | 왼발 딛기 | |
| | 1 | 오른발 앞으로 넘어가서 딛기 | |
| | 1 | 왼발 제자리 딛기 | |
| | 2 | 감기 | |
| | 2 | 풀기 | |
| | 2 | 감기 | |
| | 2 | 풀기 | |
| | 90 | A동작 반복 | |

# 라. 한 줄 고무줄 안무 4

## 🫕 포인트 동작

준비

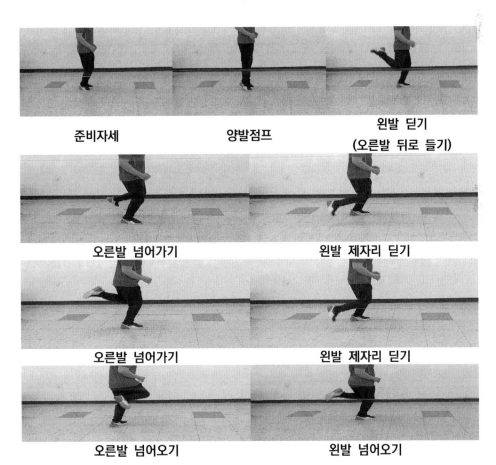

| 준비자세 | 양발점프 | 왼발 딛기<br>(오른발 뒤로 들기) |
|---|---|---|

| 오른발 넘어가기 | 왼발 제자리 딛기 |
|---|---|

| 오른발 넘어가기 | 왼발 제자리 딛기 |
|---|---|

| 오른발 넘어오기 | 왼발 넘어오기 |
|---|---|

# - 산중호걸 -

안무: 주종민

| 파트 | 박자 | 고무줄놀이 동작 | 비고 |
|---|---|---|---|
| 전주 | 8 | 리듬타기 | |
| 노래 1절 | 1 | 양발점프 | A동작 |
| | 1 | 왼발 딛기(오른발 뒤로 들기) | |
| | 1 | 오른발 넘어가기 | |
| | 1 | 왼발 제자리 딛기 | |
| | 1 | 오른발 넘어가기 | |
| | 1 | 왼발 넘어가기 | |
| | 1 | 오른발 넘어가기 | |
| | 1 | 왼발 넘어가기 | |
| | 56 | A동작 반복 | |
| 간주 | 32 | 리듬타기 | |
| 노래 2절 | 90 | A동작 반복 | |

QR코드 스캔

# 마. 한 줄 고무줄 안무 5

🔍 포인트 동작

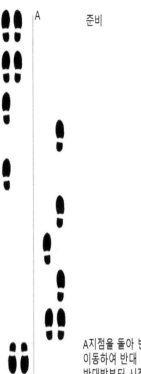

A     준비

A지점을 돌아 반대편으로
이동하여 반대 방향을 보고 준비
반대발부터 시작

동작을 마치고 A지점을 돌기

반대방향을 보고 준비하기

# - 구두발자국 -

안무: 주종민

| 파트 | 박자 | 고무줄놀이 동작 | 비고 |
|---|---|---|---|
| 전주 | 16 | 리듬타기 | |
| 노래 1절 | 1 | 양발점프 | A동작 |
| | 1 | 왼발 딛기(오른발 뒤로 들기) | |
| | 1 | 오른발 넘어가기 | |
| | 1 | 왼발 제자리 딛기 | |
| | 1 | 오른발 넘어가기 | |
| | 1 | 왼발 넘어가기 | |
| | 1 | 오른발 점프 | |
| | 1 | 왼발 점프 | |
| | 8 | A지점을 돌아 반대방향으로 준비하기 | |
| | 48 | A동작 반복 | |
| 간주 | 16 | 리듬타기 | |
| 노래 2~4절 | 64*4 | A동작 반복 | |

QR코드 스캔

# 바. 한 줄 고무줄 안무 6

 포인트 동작

준비

오른발 줄 넘어가서
바닥에 찍고 왼발 들기(전체 2박)
(왼발은 제자리 딛기)

오른발 줄 넘어와서
바닥에 찍고 들기(전체 2박)
(왼발은 제자리 딛기)

2회 반복

감기(왼발은 제자리 딛기)

(오른발은 제자리 딛기)
감은 상태로 왼발이 줄 넘어
시계 방향으로 180도 돌기

(오른발은 제자리 딛기)
감은 상태로 왼발이 줄 넘어
시계 방향으로 180도 돌기

오른발 들어 줄 풀기
(왼발은 제자리 딛기)

# - 구두 발자국 -

안무: 주종민

| 파트 | 박자 | 고무줄놀이 동작 | 비고 |
|---|---|---|---|
| 전주 | 8 | 리듬타기 | |
| 노래 1절 | 2 | 오른발 줄 넘어가 찍기 | A동작 |
| | 2 | 오른발 줄 넘어와 찍기 | |
| | 2 | 오른발 줄 넘어가 찍기 | |
| | 2 | 오른발 줄 넘어와 찍기 | |
| | 2 | 감기(왼발은 제자리 딛기) | |
| | 2 | (오른발은 제자리 딛기) 감은 상태로 왼발이 줄 넘어 시계 방향으로 180도 돌기 | |
| | 2 | (오른발은 제자리 딛기) 감은 상태로 왼발이 줄 넘어 시계 방향으로 180도 돌기 | |
| | 2 | 오른발 들어 줄 풀기 (왼발은 제자리 딛기) | |
| | 48 | A동작 반복 | |
| | 4 | 리듬타기 | |
| 간주 | 12 | 리듬타기 | |
| 노래 2절~4절 | 64*4 | A동작 반복 | |

QR코드 스캔

# 제4부
# 두 줄 고무줄놀이

# - ❶ -
# 두 줄 고무줄놀이 방법

한 줄 고무줄놀이는 주로 단순한 동작으로 구성하여 높이에 변화를 주며 실시한다. 반면 두 줄 고무줄 놀이는 동작의 구성 상 높이의 단계에 변화를 주기보다는 단순한 동작에서 점점 복잡한 동작으로 난이도를 높여가는 방식으로 놀이를 한다.

그러나 이 경우에도 동작의 난이도 변화와 함께 높이 단계의 변화를 복합적으로 적용하여 실시하는 경우가 일반적이다.

## 가. 놀이준비

① 고무줄 끝을 매듭지어 두 줄 고무줄을 만든다.
② 가위바위보로 편과 순서를 정한다.
③ 먼저 진 편 2명의 발목높이로 고무줄을 걸고 양쪽으로 길게 줄을 늘여 선다. 이 때 두 다리를 살짝 벌려서 고무줄과 고무줄 사이에 들어가 뛸 수 있는 공간을 만들어 준다.

**Tip** 두 줄 고무줄은 동작의 특성상 높이 조절을 3단계 정도까지만 한다.

**Tip** 혼자 두 줄 고무줄 놀이를 할 경우에는 의자 2개를 준비하여 다리에 고무줄을 걸고 놀이를 하면 된다.

## 나. 높이에 따른 단계

🔍 발목-종아리-무릎 단계로 하는 것이 일반적이다.

▷1단계: 고무줄을 바닥에 붙여서 놀이하기

▷2단계: 발목에 걸어 발목 높이로 놀이하기

▷3단계: 무릎 뒤 오금에 걸어 무릎 높이로 놀이하기

**1단계 바닥에 붙이기**    **2단계 발목에 걸기**    **3단계 오금에 걸기**

**Tip** 허리높이까지도 가끔 하기도 하지만 그 이상 높이로는 대개 올리지 않는 편이다.

**Tip** 고무줄놀이는 대게 노래를 부르면서 많이 하는데 고무줄놀이 동작을 하는 사람들은 숨이 차서 노래를 큰 소리로 부르기 어려우므로 고무줄을 잡고 있는 사람들이 노래를 더욱 큰 소리로 불러주어 고무줄놀이를 재미있게 할 수 있도록 한다.

**Tip** 단계를 정하여 고무줄 놀이를 해 본다. 처음에는 고무줄놀이의 단계별 동작을 외우기 어렵기 때문에 손가락 고무줄놀이를 통해 단계별 동작을 익힌다.

다. 두 줄 고무줄놀이 할 때 자주 부르는 노랫말

　　① ♬ 동서남북재밌다. ♪

　　② ♩ 월계화계수수목단금단토단일 ♪

　　③ ♪ 월화수목금토일 ♬

　Tip　'월화수목' 까지만 하기도 한다.

# - ❷ -
# 두 줄 고무줄놀이 단계

가. 두 줄 고무줄놀이 1단계

QR1코드 스캔

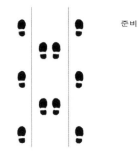

준비

QR2코드 스캔

🔍 모았다 벌려뛰기*QR1(또는 벌렸다 모아뛰기*QR2)

　- 고무줄 안에 양발을 모아 있다가 양발을 벌리며 고무
　　줄 밖으로 뛰며 다시 양발을 모으며 줄 안으로 뛴다.

Tip　♬'월계화계수수목단금단초단일'의 노랫말에 맞추어
동작을 한다.

준비자세

양발 벌리며 줄 밖으로 뛰기

양발을 모으며 줄 안으로 뛰기

## 나. 두 줄 고무줄놀이 2단계

준비

QR2코드 스캔

🔍 한 줄씩 왔다갔다 뛰기

- 왼쪽에 있는 고무줄을 두 발 사이에 두고 점프하여 오른쪽 고무줄이 두 발 사이에 들어가도록 점프한다.

**Tip** ♬ '월계화계수수목단금단초단일'의 노랫말에 맞추어 동작을 한다.

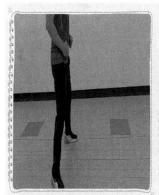

준비자세

오른쪽 고무줄이 두 발
사이에 들어오도록 점프하기

왼쪽 고무줄이 두 발 사이에
들어오도록 점프하기

## 다. 두 줄 고무줄놀이 3단계

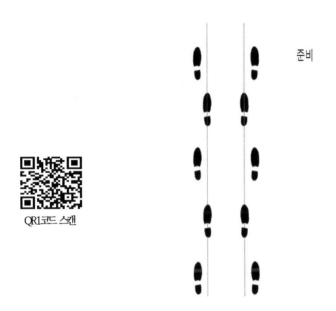

준비

QR1코드 스캔

🔍 양발 두줄 밟기①

 - 두 고무줄 바깥쪽에 양발을 벌려 서 있다가 양발로
   바깥쪽에서 안쪽으로 동시에 점프하며 두 고무줄을
   밟는다.

Tip  ♬ '월계화계수수목단금단초단일'의 노랫말에 맞추어
   동작을 한다.

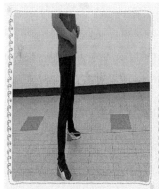

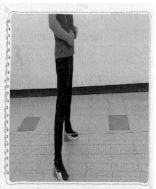

준비자세 | 양발로 두 줄 밟기 | 두 고무줄 바깥쪽에 양발을 벌려 서기

**Tip** 초보자의 경우에는 발모양을 일자로 나란히 하면 밟기가 어려울 수 있으므로 발을 비스듬히 해서 밟는다.

발모양을 일자로 한 경우 | 발모양을 비스듬히 한 경우

QR1코드 스캔

**Tip** 양발로 뛰거나 밟는 동작이 많은데 이 때, 짝발로 뛰면 부상의 우려가 있으므로 짝발로 뛰지 않도록 한다.

라. 두 줄 고무줄놀이 4단계

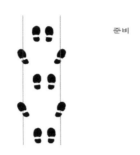
준비

🔍 양발 두 줄 밟기②
- 두 고무줄 안쪽에 양발을 모아 서 있다가 양발을 바
  깥쪽으로 벌려 두 고무줄을 밟는다.

Tip ♬'**월계화계수수목단금단초단일**'의 노랫말에 맞추어
동작을 한다.
- '월계'(수수,금단)에 양발을 벌려 두 줄을 동시에
  밟고 '화계'(목단,초단)에 다시 뛰어올라서 양발을
  모아 줄 안으로 들어간다. '일'은 '월계'와 같은
  동작으로 하는데 2박을 머무른다.

준비자세

양발을 바깥쪽으로 벌려
두 고무줄 밟기

양발을 모아 줄 안으로
들어오기

## 마. 두 줄 고무줄놀이 5단계

QR1코드 스캔

🔍 한 줄씩 밟기

- 양 발을 벌려 고무줄 바깥쪽에 서 있다가 양발을 벌린
채로 오른쪽 고무줄만 밟고, 양발을 벌린 채로 왼쪽
고무줄만 밟는 동작을 한다.

**Tip** ♫ '월계화계수수목단금단초단일'의 노랫말에 맞추어
동작을 한다.

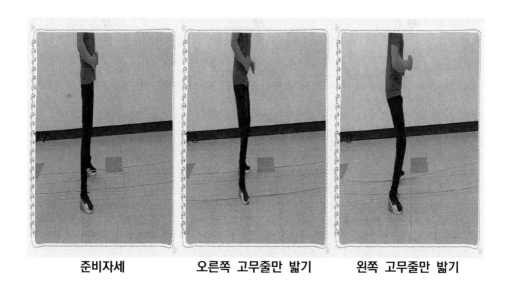

| 준비자세 | 오른쪽 고무줄만 밟기 | 왼쪽 고무줄만 밟기 |

## 바. 두 줄 고무줄놀이 6단계

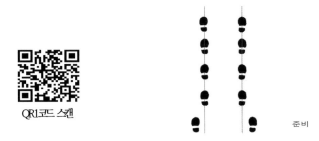

QR1코드 스캔

준비

🔍 양발 두줄 밟으며 앞으로 가기
  - 양발을 벌려 줄을 밟은 채로 조금씩 점프하며 앞으로
    이동한다.

**Tip** ♬'공주마마납신다'나 '탄다탄다밥탄다'의 노랫말에
     맞추어 동작을 한다.

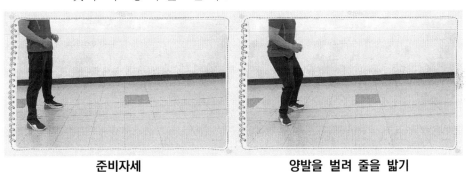

| 준비자세 | 양발을 벌려 줄을 밟기 |

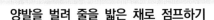

| 양발을 벌려 줄을 밟은 채로 점프하기 | 앞으로 이동하며 점프하기 |

## 사. 두 줄 고무줄놀이 7단계

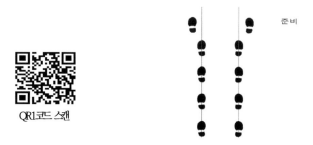

QR코드 스캔

🔍 양발 두줄 밟으며 뒤로 가기

 - 양발을 벌려 고무줄 바깥쪽에 서 있다가 양발을 벌린
   채로 두 줄을 밟으며 뒤로 점프하여 이동한다.

**Tip**　　♬'공주마마납신다'나 '탄다탄다밥탄다'의　노랫말에
　　　　　맞추어 동작을 한다.

| 준비자세 | 양발을 벌려 줄을 밟기 |

| 양발을 벌려 줄을 밟은 채로 점프하기 | 뒤 이동하며 점프하기 |

## 아. 두 줄 고무줄놀이 8단계

준비

QR코드 스캔

🔍 양발 벌려 밟기

- 양발을 벌려 고무줄 바깥쪽에 서서 양발을 벌린채로 오른발이 앞으로 오고 왼발이 뒤로 가게 두 줄을 동시에 밟는다. 그 다음에는 왼발이 앞으로 오고 오른발이 뒤로 가게 두 줄을 동시에 밟는다.

> **Tip** ♬'공주마마납신다'나 '탄다탄다밥탄다'의 노랫말에 맞추어 동작을 한다.

| 준비자세 | 오른발이 앞으로, 왼발이 뒤로 가게 두 줄 밟기 | 왼발이 앞으로, 오른발이 뒤로 가게 두 줄 밟기 |

## 자. 두 줄 고무줄놀이 9단계

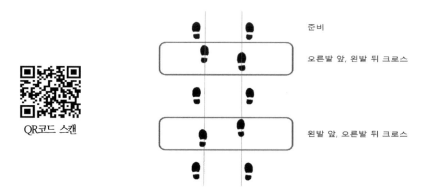

QR코드 스캔

준비

오른발 앞, 왼발 뒤 크로스

왼발 앞, 오른발 뒤 크로스

🔍 양발 엇걸어 밟기

- 양발을 벌린채로 줄 바깥쪽에 서서 점프하며 왼발이 앞으로, 오른발이 뒤로 오게 하여 발을 크로스(교차) 한다.

**Tip** ♫ '공주마마납신다'나 '탄다탄다밥탄다'의 노랫말에 맞추어 동작을 한다.

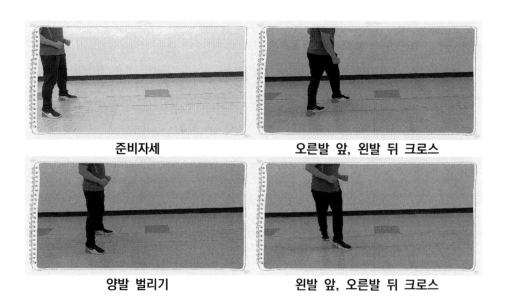

| 준비자세 | 오른발 앞, 왼발 뒤 크로스 |
| --- | --- |
| 양발 벌리기 | 왼발 앞, 오른발 뒤 크로스 |

## 차. 두 줄 고무줄놀이 10단계

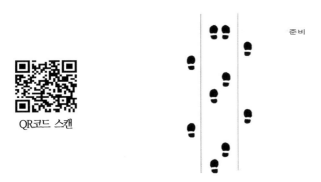

QR코드 스캔

준비

🔊 양발 번갈아 넘기
- 양발을 모아 두 줄 안에 선다.
- 줄 안에 서 있다가 양발을 번갈아 오른발부터 한발씩 넘어갔다가 다시 줄 안으로 넘어온다.

Tip  ♬고기잡이나 구슬비 노래에 맞추어 연습할 수 있다.

준비자세    오른발 줄 바깥으로 넘어가기

왼발 바깥으로 넘어가기    오른발 줄 안으로 넘어오기

왼발 줄 안으로 넘어오기

**Tip1** 각 단계별로 따로 따로 연습하며 고무줄놀이를 할 수도 있고, 단계별 동작이 숙달되면 각 단계들을 따로 하지 않고 연결하여 실시해 단조로움을 피하고 운동량을 늘릴 수 있다.

**Tip2** 단계를 섞어 아래와 같이 다음 단계를 만들 수도 있다.
▷11단계 1~5단계를 이어서 하기
▷12단계 6~9단계를 이어서 하기
▷13단계 홀수 단계만 이어서 하기
▷14단계 짝수 단계만 이어서 하기

# -❸-
# 두 줄 고무줄놀이 응용

가. 밟기 동작을 이용한 인디언 보이

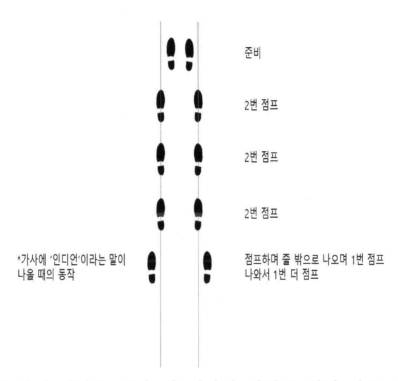

- 줄 안에 양발을 모아 서 있다가 양발을 벌려 양쪽 고무 줄을 밟으며 2번씩 점프한다.
- 중간에 '인디언'이라는 가사가 나오면 양발을 벌려 줄 밖으로 나오며 1번 점프하고 제자리에서 1번 더 점프한다. (줄 밖에서 총 2번 점프한다.)

## 나. 발등에 줄 걸어 뛰어 넘기를 이용한 산토끼

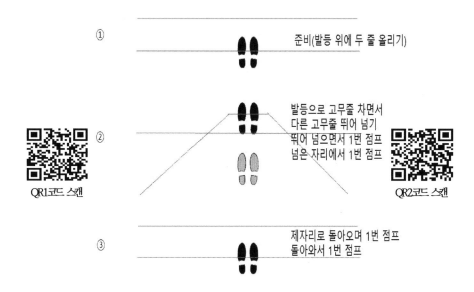

① 준비(발등 위에 두 줄 올리기)

QR1코드 스캔

② 발등으로 고무줄 차면서
다른 고무줄 뛰어 넘기
뛰어 넘으면서 1번 점프
넘은 자리에서 1번 점프

QR2코드 스캔

③ 제자리로 돌아오며 1번 점프
돌아와서 1번 점프

- 두 줄 고무줄에서 한 줄 고무줄을 두 발등 위에 올려놓고
발등으로 고무줄을 차면서 다른 고무줄을 뛰어 넘는다.

**Tip** 양발로 감고 푸는 방법도 있다.

- 오른발로 줄을 감는다.
- 왼발로 줄을 감는다.
- 오른발로 줄을 푼다.
- 왼발로 줄을 푼다.

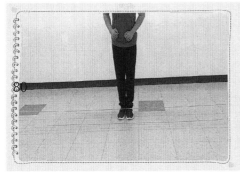

준비자세(발등 위에 두 줄 올리기)

발등으로 고무줄 차면서
다른 고무줄 뛰어 넘기

넘은 자리에서 1번 점프하기

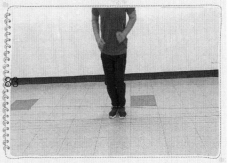

제자리로 돌아오며 1번 점프하기

1번 더 점프하기

# 제5부
# 세 줄 고무줄놀이

# - ① -

# ♫ 코끼리 아저씨

## 가. ♪'코끼리 아저씨' 기본 동작 설명

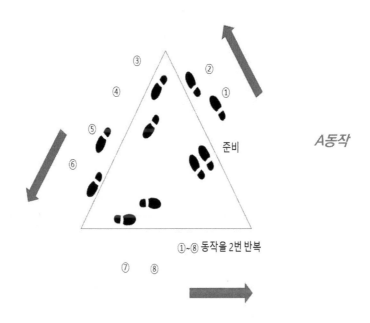

- 고무줄의 양 끝을 매듭 지어서 고무줄 안에 3명이 들어가 발목을 이용해 고무줄을 늘려 삼각형 모양을 만든다.
- 고무줄 안에 들어가 고무줄이 자신의 오른쪽에 오도록 선다.
- 오른발, 왼발 순으로 바깥쪽으로 줄을 넘어간다. 그리고 다음 고무줄의 안쪽으로 오른발 왼발 순으로 줄을 넘어간다.
- 이 동작을 계속 반복한다.

준비자세

①번 동작

②번 동작

③번 동작

④번 동작

⑤번 동작

⑥번 동작

⑦번 동작

⑧번 동작

나. ♫ '코끼리 아저씨' 안무

### - 코끼리 아저씨 -

안무: 주종민

| 파트 | 박자 | 고무줄놀이 동작 | 비고 | |
|---|---|---|---|---|
| 전주 | 8 | 리듬타기 | | |
| 노래 1절 | 1 | 오른발 줄 넘어가기 | 이웃 줄로 건너가기 | *A동작* |
| | 1 | 왼발 줄 넘어가기 | | |
| | 1 | 오른발 줄 넘어오기11 | | |
| | 1 | 왼발 줄 넘어오기 | | |
| | 72 | A동작 반복하기 | | |
| | 16 | 제자리에서 리듬타기 | | |
| | 32 | *A동작* 반복하기 | | |

QR코드 스캔

# - ② -
# ♫ 원숭이 엉덩이는 빨개

## 가. ♫'원숭이 엉덩이는 빨개 기본 동작 설명

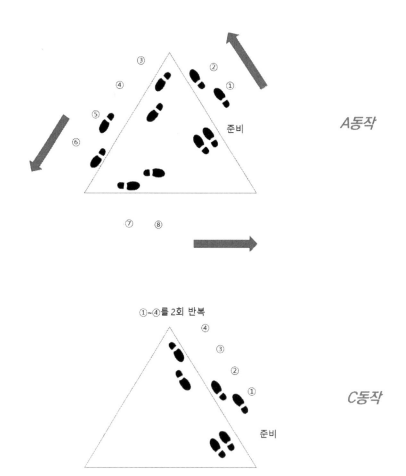

A동작

C동작

① A동작 설명
  - 고무줄의 양 끝을 매듭 지어서 고무줄 안에 3명이 들어가
    발목을 이용해 고무줄을 늘려 삼각형 모양을 만든다.
  - 고무줄 안에 들어가 고무줄이 자신의 오른쪽에 오도록 선다.
    오른발, 왼발 순으로 바깥쪽으로 줄을 넘어간다. 그리고 다음
    고무줄의 안쪽으로 오른발 왼발 순으로  줄을 넘어간다.
  - 이 동작을 계속 반복한다.

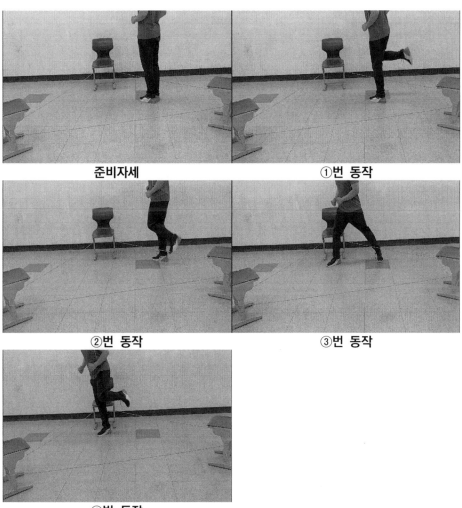

준비자세                    ①번 동작

②번 동작                    ③번 동작

④번 동작

② C동작 설명
- 돌기동작이다.
- 고무줄 안에 들어가 고무줄이 자신의 오른쪽에 오도록 선다.
- 돌기 동작을 하는데 오른발 왼발 순서로 고무줄 바깥쪽으로 넘어가기를 한 후, 안쪽으로 다시 오른발 왼발 순서로 고무줄 안쪽을 디디며 180도 돌기 동작을 한다.

①번 동작    ②번 동작

③번 동작    ④번 동작

나. ♫ '원숭이 엉덩이는 빨개' 안무

# - 원숭이 엉덩이는 빨개 -

안무: 주종민

| 파트 | 박자 | 고무줄놀이 동작 | 비고 | |
|---|---|---|---|---|
| 전주 | 8 | 리듬타기 | | |
| 노래 1절 | 1 | 오른발 줄 넘어가기 | 이웃 줄로 건너가기 | A동작 |
| | 1 | 왼발 줄 넘어가기 | | |
| | 1 | 오른발 줄 넘어오기 | | |
| | 1 | 왼발 줄 넘어오기 | | |
| | 1 | 오른발 줄 넘어가기 | | |
| | 1 | 왼발 줄 넘어가기 | | |
| | 1 | 오른발 줄 넘어오기 | | |
| | 1 | 왼발 줄 넘어오기 | | |
| | 1 | 오른발 줄 넘어가기(180도 돌기) | 돌기 동작 | C동작 |
| | 1 | 왼발 줄 넘어가기(180도 돌기) | | |
| | 1 | 오른발 줄 넘어오기(180도 돌기) | | |
| | 1 | 왼발 줄 넘어오기(180도 돌기) | | |
| | 4 | C동작 | | |
| 후주 | 2 | 리듬타기 | | |

QR코드 스캔

# - ❸ -

# ♫ 장난감 기차

## 가. ♫'장난감 기차' 기본 동작 설명

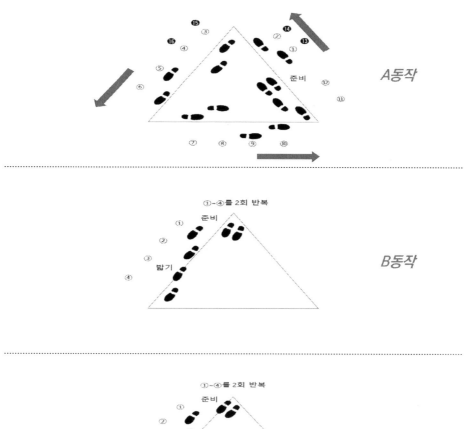

A동작

B동작

C동작

A와 C동작은 '원숭이 엉덩이는 빨개' A동작의 ①, ②
동작과 동일하다. 다만 C동작의 ③은 시계 반대 방향
으로 방향을 전환하며 동작을 한다는 점이 다르다.

☐ B동작 설명
- 고무줄 안에 들어가 고무줄이 자신의 오른쪽에 오도
록 선다.
- 오른발, 왼발 순으로 바깥쪽으로 줄을 넘어간다.
- 오른발로 고무줄의 가운데를 밟고 왼발은 줄을 넘어 들어
간다.
- 이 동작을 계속 반복한다.

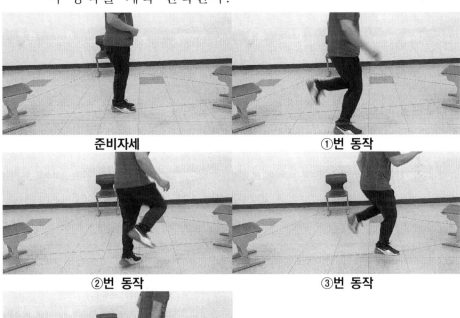

준비자세          ①번 동작

②번 동작          ③번 동작

④번 동작

나. ♫ '장난감 기차' 안무

## - 장난감 기차 -

안무: 주종민

| 파트 | 박자 | 고무줄놀이 동작 | 비고 | |
|---|---|---|---|---|
| 전주 | 16 | 리듬타기 | | |
| 노래<br>1절 | 1 | 오른발 줄 넘어가기 | 이웃<br>줄로<br>건너가<br>기 | A동작 |
| | 1 | 왼발 줄 넘어가기 | | |
| | 1 | 오른발 줄 넘어오기 | | |
| | 1 | 왼발 줄 넘어오기 | | |
| | 12 | A동작 3번 반복하기 | | |
| | 1 | 오른발 넘어가기 | 제자리<br>에서<br>동작하<br>기 | B동작 |
| | 1 | 왼발 넘어가기 | | |
| | 1 | 오른발 고무줄 밟기 | | |
| | 1 | 왼발 넘어가기 | | |
| | 4 | B동작 | | |
| | 1 | 오른발 줄 넘어가기 | 몸을<br>반시계<br>방향으<br>로 90도<br>돌리기 | C동작 |
| | 1 | 왼발 줄 넘어가기 | | |
| | 1 | 오른발 줄 넘어가기 | | |
| | 1 | 왼발 줄 넘어가기 | | |
| | 4 | C동작 | | |
| 간주 | 16 | 리듬타기 | | |
| 노래<br>2절 | 48 | 1절과 동일함 | | |
| 후주 | 8 | 리듬타기 | | |

QR코드 스캔

# - ④ -

# ♫ 작은 동물원

## 가. ♫'작은 동물원' 기본 동작 설명

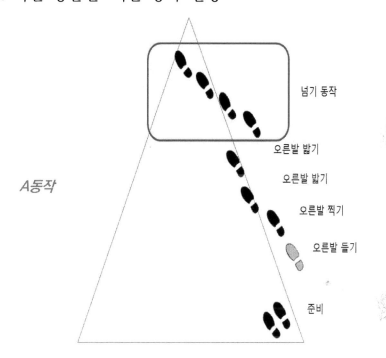

- 높이가 높은 줄을 오른발로 걸어 당겨 내려 왼발로 두 번 밟은 후 내린 줄을 놓고 다음 줄로 이동하여 노래가 끝날 때까지 계속한다.

**Tip** 줄 높이가 낮을 경우 시작할 때 발등에 줄 걸어 발을 내리지 않고 찍고 들기 방식으로 동작을 하면 된다.

- 이동할 때에는 한발씩 줄 넘어가기 방법으로 이동한다.

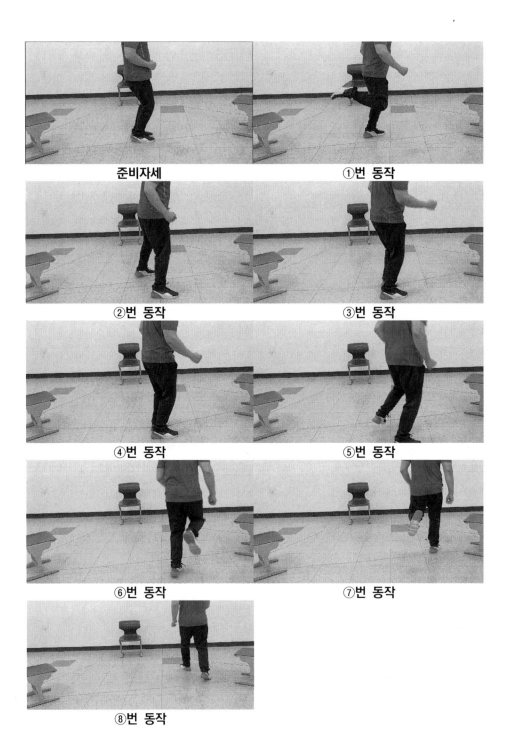

준비자세

①번 동작

②번 동작

③번 동작

④번 동작

⑤번 동작

⑥번 동작

⑦번 동작

⑧번 동작

다. ♫ '작은 동물원' 안무

## - 작은 동물원 -

안무: 주종민

| 파트 | 박자 | 고무줄놀이 동작 | 비고 | |
|---|---|---|---|---|
| 전주 | 16 | 리듬타기 | | |
| 노래 1절 | 1 | 오른발 들기 (왼발은 제자리에서 점프하기) | 제자리에서 동작하기 | A동작 |
| | 1 | 오른발 찍기 | | |
| | 1 | 왼발로 줄 밟기 | | |
| | 1 | 왼발로 줄 밟기 | | |
| | 1 | 오른발 줄 넘어가기 | 이웃 줄로 건너가기 | |
| | 1 | 왼발 줄 넘어가기 | | |
| | 1 | 오른발 줄 넘어오기 | | |
| | 1 | 왼발 줄 넘어오기 | | |
| | 24 | A동작 3번 반복하기 | | |
| 간주 | 16 | 리듬타기 | | |
| 노래 2절 | 32 | 1절과 동일함 | | |

QR코드 스캔

# 제6부
# 고무줄 심화 기술

# 심화동작 1단계

## 가. 오른발 찍기 + 왼발 찍기

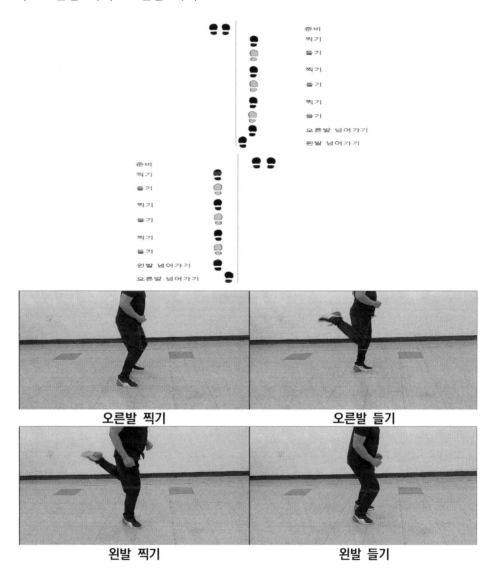

준비
찍기
들기
찍기
들기
찍기
들기
오른발 넘어가기
왼발 넘어가기

준비
찍기
들기
찍기
들기
찍기
들기
왼발 넘어가기
오른발 넘어가기

| 오른발 찍기 | 오른발 들기 |
| 왼발 찍기 | 왼발 들기 |

나. 심화동작 1단계 안무

## - 곰 세 마리 -

안무: 주종민

| 파트 | 박자 | 고무줄놀이 동작 | 비고 | |
|---|---|---|---|---|
| 전주 | 16 | 리듬타기 | | |
| 노래 1절 | 1 | 오른발 찍기 | 오른발부터 동작하기 | *A동작* |
| | 1 | 오른발 들기 | | |
| | 1 | 오른발 찍기 | | |
| | 1 | 오른발 들기 | | |
| | 1 | 오른발 찍기 | | |
| | 1 | 오른발 들기 | | |
| | 1 | 오른발 넘어가기 | | |
| | 1 | 왼발 넘어가기 | | |
| | 1 | 왼발 찍기 | 왼발부터 동작하기 | *B동작* |
| | 1 | 왼발 들기 | | |
| | 1 | 왼발 찍기 | | |
| | 1 | 왼발 들기 | | |
| | 1 | 왼발 찍기 | | |
| | 1 | 왼발 들기 | | |
| | 1 | 왼발 넘어가기 | | |
| | 1 | 오른발 넘어가기 | | |
| | 8 | A동작 | *C동작* | |
| | 8 | B동작 | | |
| | 32 | *C동작 2번 반복* | | |
| 간주 | 16 | 리듬타기 | | |
| 노래 2절 | 64 | *C동작 4번 반복* | | |

QR코드 스캔

# 심화동작 2단계

가. 왼발 넘어가기+오른발 넘어가기
  - 넘기 응용 동작이다.

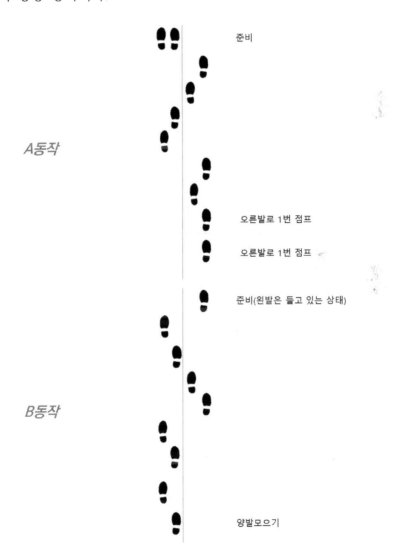

A동작

준비

오른발로 1번 점프

오른발로 1번 점프

B동작

준비(왼발은 들고 있는 상태)

양발모으기

준비자세 | 오른발 넘어가기

왼발 넘어가기 | 오른발 넘어오기

왼발 넘어오기 | 오른발 넘어가기

왼발 넘어가기 | 오른발 점프

오른발 점프

## 나. 심화동작 2단계 안무

### - 엄마돼지 아기돼지 -

안무: 주종민

| 파트 | 박자 | 고무줄놀이 동작 | 비고 | |
|------|------|----------------|------|---|
| 전주 | 16 | 리듬타기 | | |
| 노래<br>1절 | 1 | 오른발 넘어가기 | 오른발부터<br>동작하기 | A동작 |
| | 1 | 왼발 넘어가기 | | |
| | 1 | 오른발 넘어오기 | | |
| | 1 | 왼발 넘어오기 | | |
| | 1 | 오른발 넘어가기 | | |
| | 1 | 왼발 넘어가기 | | |
| | 1 | 오른발로 제자리에서 점프하기 | | |
| | 1 | 오른발로 제자리에서 점프하기 | | |
| | 1 | 왼발 넘어가기 | 왼발부터<br>동작하기 | B동작 |
| | 1 | 오른발 넘어가기 | | |
| | 1 | 왼발 넘어오기 | | |
| | 1 | 오른발 넘어오기 | | |
| | 1 | 왼발 찍기 | | |
| | 1 | 왼발 들기 | | |
| | 1 | 왼발 넘어가기 | | |
| | 1 | 오른발 넘어가기 | | |
| | 8 | A동작 | | |
| | 8 | B동작 | | |
| | 8 | A동작 | | |
| | 8 | B동작 | | |
| | 8 | A동작 | | |
| | 8 | B동작 | | |
| 간주1 | 8 | 리듬타기 | | |
| 노래<br>2절 | 8 | A동작 | | |
| | 8 | B동작 | | |
| | 8 | A동작 | | |
| | 8 | B동작 | | |
| | 8 | A동작 | | |
| 간주2 | 32 | 리듬타기 | | |
| 노래<br>3절 | 8 | A동작 | | |
| | 8 | B동작 | | |
| | 8 | A동작 | | |
| | 8 | B동작 | | |
| 후주 | 16 | 리듬타기 | | |

QR코드 스캔

# -❸-

# 심화동작 3단계

가. 180° 점프하며 돌기

- 시계방향+반시계 방향, 반시계 방향도 시계 방향 동작과 동일하게 한다.
- 두 발 사이에 고무줄이 오도록 선다.
- 180도 점프하며 돌고 제자리에서 한 번 더 점프한다.
- 8박자씩 교대하여 시계방향과 반시계 방향으로 돈다.

QR코드 스캔

준비

180도 회전하며 점프
(제자리에서 한 번 더 점프)

180도 회전하며 점프
(제자리에서 한 번 더 점프)

180도 회전하며 점프
(제자리에서 한 번 더 점프)

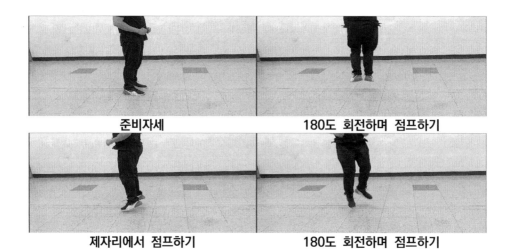

| 준비자세 | 180도 회전하며 점프하기 |
| 제자리에서 점프하기 | 180도 회전하며 점프하기 |

## 나. 심화동작 3단계 안무

### - 고기잡이 -

안무: 주종민

| 파트 | 박자 | 고무줄놀이 동작 | 비고 | |
|---|---|---|---|---|
| 전주 | 16 | 리듬타기 | | |
| 노래 1절 | 1 | 180도 회전하며 점프하기 | 시계방향 으로 돌기 | A동작 |
| | 1 | 제자리에서 한 번 더 점프하기 | | |
| | 1 | 180도 회전하며 점프하기 | | |
| | 1 | 제자리에서 한 번 더 점프하기 | | |
| | 1 | 180도 회전하며 점프하기 | | |
| | 1 | 제자리에서 한 번 더 점프하기 | | |
| | 1 | 오른발로 180도 회전하며 점프하기 | | |
| | 1 | 왼발로 제자리에서 점프하기 | | |
| | 1 | 180도 회전하며 점프하기 | 반시계방향 으로 돌기 | B동작 |
| | 1 | 제자리에서 한 번 더 점프하기 | | |
| | 1 | 180도 회전하며 점프하기 | | |
| | 1 | 제자리에서 한 번 더 점프하기 | | |
| | 1 | 180도 회전하며 점프하기 | | |
| | 1 | 제자리에서 한 번 더 점프하기 | | |
| | 1 | 왼발로 180도 회전하며 점프하기 | | |
| | 1 | 오른발로 제자리에서 점프하기 | | |
| | 8 | A동작 | | |
| | 8 | B동작 | | |
| | 8 | A동작 | | |
| | 8 | B동작 | | |
| | 8 | A동작 | | |
| | 8 | B동작 | | |
| 간주 | 16 | 리듬타기 | | |
| 노래 2절 | 8 | A동작 | | |
| | 8 | B동작 | | |
| | 8 | A동작 | | |
| | 8 | B동작 | | |

# -④-

# 심화동작 4단계

---

## 가. 이동하면서 차기

차기  차기  넘어가기  넘어가기

준비  차기  차기  넘어가기  넘어가기

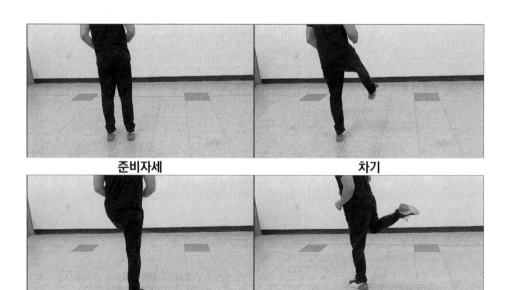

| 준비자세 | 차기 |
|---|---|
| 차기 | 이동하면서 넘어가기 |

## 나. 심화동작 4단계 안무

| 파트 | 박자 | 고무줄놀이 동작 | 비고 | |
|---|---|---|---|---|
| **- 동네 한바퀴 -** | | | | |
| | | | 안무: 주종민 | |
| 전주 | 8 | 리듬타기 | | |
| 노래 1절 | 2 | 차기 | 오른쪽으로 이동하며 넘어가기 | *A동작* |
| | 2 | 차기 | | |
| | 2 | 넘어가기 | | |
| | 2 | 넘어가기 | | |
| | 8 | *A동작* | | |
| | 8 | *A동작* | | |
| | 8 | *A동작* | | |
| 간주 | 8 | *A동작* | | |
| 노래 2절 | 8 | 리듬타기 | | |
| | 40 | *A동작* | | |
| 후주 | 8 | 리듬타기 | | |

# - ⑤ -
# 심화동작 5단계

## 가. 감기 응용 동작
① A동작: 제자리 감기
- 오른발로 고무줄을 시계방향으로 감고 찍고 오른발을 풀어준다.

② B동작: 연속 감기
- 오른발로 고무줄을 시계방향으로 감고 찍고 바로 왼발로 고무줄을 반시계방향으로 감아 찍는다.
- 바로 오른발로 고무줄을 시계방향으로 감고 찍으며 왼발을 제자리에 딛는다.
- 오른발을 풀고, 왼발을 푼 뒤, 오른발을 풀어준다.

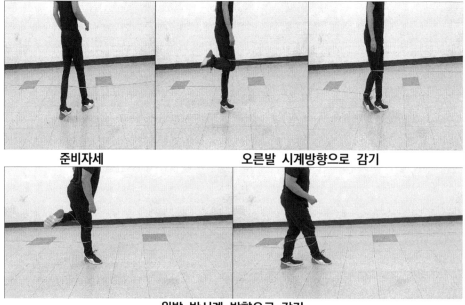

준비자세       오른발 시계방향으로 감기

왼발 반시계 방향으로 감기

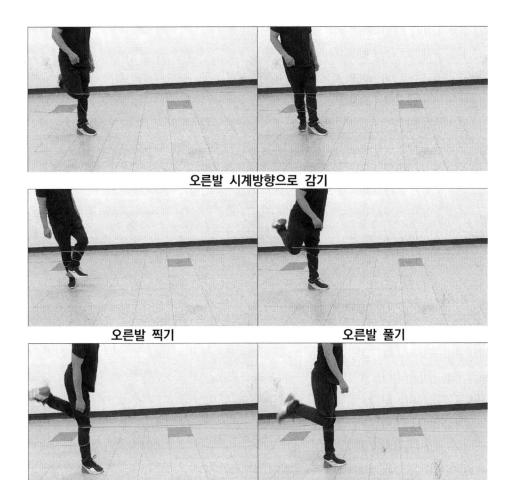

오른발 시계방향으로 감기

오른발 찍기          오른발 풀기

왼발 풀기          오른발 풀기

③ C동작: 회전 감기

- 오른발로 고무줄을 시계 방향으로 감고 찍고 시계 방향으로 돌고 난 후 감은 줄을 풀어준다.

준비자세      오른발 시계방향으로 감기

감은 상태로 왼발이 줄 넘어 시계방향으로 180도 돌기

왼발이 줄 넘어 180도 돌아 원래대로 돌아오기

감았던 줄 풀기 위해 오른발 들기      오른발 내려놓기(처음 자세로 돌아오기)

## 나. 심화동작 5단계 안무

| 파트 | 박자 | 고무줄놀이 동작 | 비고 |
|---|---|---|---|
| **- 코끼리와 거미줄 -** | | | |
| | | | 안무: 주종민 |
| 전주 | 16 | 리듬타기 | |
| 노래 1절 | 1 | 오른발 넘어가기 | A'동작 |
| | 1 | 왼발 넘어가기 | |
| | 1 | 오른발 넘어가기 | |
| | 1 | 왼발 제자리 딛기 | |
| | 8 | *A동작* | |
| | 1 | 오른발 넘어가기 | |
| | 1 | 왼발 제자리 딛기 | |
| | 1 | 오른발 넘어오기 | |
| | 1 | 왼발 넘어오기 | |
| | 16 | A'동작 | |
| 간주1 | 16 | 리듬타기 | |
| 노래 2절 | 1 | 오른발 넘어가기 | B'동작 |
| | 1 | 왼발 넘어가기 | |
| | 1 | 오른발 넘어가기 | |
| | 1 | 왼발 제자리 딛기 | |
| | 8 | *B동작* | |
| | 16 | B'동작 | |
| 간주2 | 16 | 리듬타기 | |
| 노래 3절 | 32 | *C동작* 4번 반복 | |

# -❻-

# 심화동작 6단계

## 가. 이동하면서 밟기
- 뒤로 가며 밟기+앞으로 가며 밟기 동작이다.

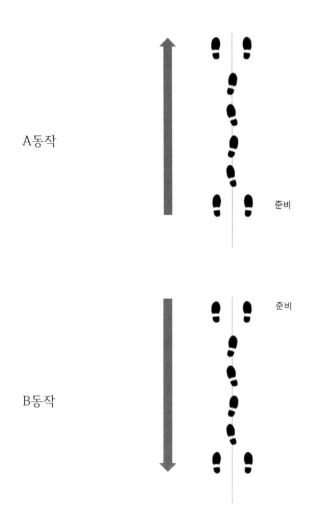

## 나. 심화동작 6단계 안무

# - 정글 숲 -

안무: 주종민

| 파트 | 박자 | 고무줄놀이 동작 | 비고 |
|---|---|---|---|
| 전주 | 16 | 제자리 걷기 | |
| 노래 1절 | 8 | 앞으로 가며 밟기 | *C동작* |
| | 8 | 뒤로 가며 밟기 | |
| | 8 | 앞으로 가며 밟기 | |
| | 8 | 뒤로 가며 밟기 | |
| 간주 | 16 | 제자리 걷기 | |
| 노래 2절 | 32 | *C동작* 반복 | |

QR코드 스캔

# - 7 -

# 심화동작 7단계

---

가. 방향을 바꾸면서 찍기
- 오른발 찍고 시계방향으로 180도 돌기+왼발 찍고 시계 방향으로 180도
돌기 동작이다.

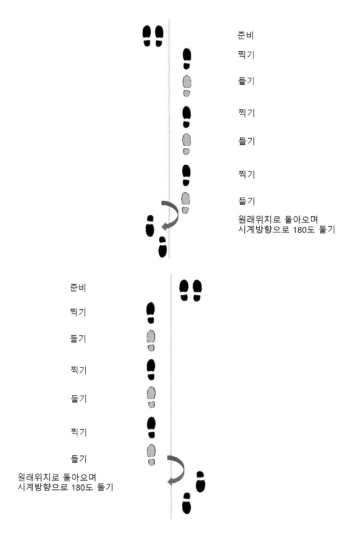

준비

찍기

들기

찍기

들기

찍기

들기

원래위치로 돌아오며
시계방향으로 180도 돌기

준비

찍기

들기

찍기

들기

찍기

들기

원래위치로 돌아오며
시계방향으로 180도 돌기

## 나. 심화동작 7단계 안무

### 60's cardin

안무: 주종민

| 파트 | 박자 | 고무줄놀이 동작 | 비고 |
|------|------|----------------|------|
| 전주 | 32 | 제자리 걷기 | |
| 노래 | 1 | 오른발 찍기 | A동작 |
| | 1 | 오른발 들기 | |
| | 1 | 오른발 찍기 | |
| | 1 | 오른발 들기 | |
| | 1 | 오른발 찍기 | |
| | 1 | 오른발 들기 | |
| | 1 | 시계방향으로 180도 돌며 오른발 넘어오기 | |
| | 1 | 왼발 180도 돌며 제자리 딛기 | |
| | 1 | 왼발 찍기 | B동작 |
| | 1 | 왼발 들기 | |
| | 1 | 왼발 찍기 | |
| | 1 | 왼발 들기 | |
| | 1 | 왼발 찍기 | |
| | 1 | 왼발 들기 | |
| | 1 | 시계방향으로 180도 돌며 왼발 넘어오기 | |
| | 1 | 오른발 180도 돌며 제자리 딛기 | |
| | 16 | A동작+B동작 | |
| | 16 | A동작+B동작 | |
| | 16 | A동작+B동작 | |
| | 16 | A동작+B동작 | |

# - 8 -

# 심화동작 8단계

## 가. 방향을 바꾸어 넘기

- 넘기 동작+방향을 돌아서 줄 반대편에서 넘기 동작이다.

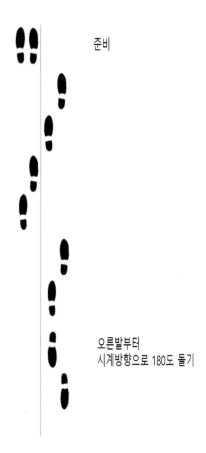

준비

오른발부터
시계방향으로 180도 돌기

## 나. 심화동작 8단계 안무

### 말할 수 없는 비밀

안무: 주종민

| 파트 | 박자 | 고무줄놀이 동작 | 비고 |
|---|---|---|---|
| 전주 | 8 | 제자리 걷기 | |
| 노래 | 1 | 오른발 넘어가기 | A동작 |
| | 1 | 왼발 넘어가기 | |
| | 1 | 오른발 넘어오기 | |
| | 1 | 왼발 넘어오기 | |
| | 1 | 오른발 넘어가기 | |
| | 1 | 왼발 넘어가기 | |
| | 1 | 오른발 시계방향으로 180도 돌기 | |
| | 1 | 왼발 시계방향으로 180도 돌기 | |
| | 8 | A동작 | |
| | 8 | A동작 | |
| | 8 | A동작 | |
| | 8 | 리듬타기 | |
| | 8 | A동작 | |
| | 8 | A동작 | |
| | 8 | A동작 | |
| | 8 | A동작 | |

# 심화동작 9단계

## 가. 180도 방향을 바꾸며 돌기 동작

준비

돌기

# - ⑩ -

# 심화동작 10단계

---

## 가. 방향을 바꾸며 차기
- 앞으로 차는 동작+뒤로 차는 동작이다.

준비  앞으로  앞으로  뒤로  뒤로
      차기    차기    차기  차기

---

**Tip**  뒤로 차기 동작

준비      오른발 왼발 번갈아 뒤로 차기

## 나. 심화동작 10단계 안무

### - 빠빠빠 -

안무: 주종민

| 파트 | 박자 | 고무줄놀이 동작 | 비고 | |
|------|------|----------------|------|------|
| 전주 | 16 | 제자리 걷기 | | |
| 노래 | 2 | 앞으로 차기 | | *A동작* |
| | 2 | 앞으로 차기 | 시계방향으로 180도 돌기 | |
| | 2 | 뒤로 차기 | | |
| | 2 | 뒤로 차기 | 시계 방향으로 180도 돌기 | |
| | 48 | *A동작* 반복 | | |

# -⑪①- 
# 심화동작 11단계

## 가. 감기+밟기 동작

- 오른발로 고무줄을 감고 왼발로 뒤를 밟는다.
- 왼발을 원래 위치로 보내고 오른발은 고무줄을 푸는 동작을 한다.
- 위의 동작을 반복한다.

## 나. 심화동작 11단계 안무

| (QR코드 링크)If I had you | | | |
|---|---|---|---|
| | | | 안무: 주종민 |
| 파트 | 박자 | 고무줄놀이 동작 | 비고 |
| 전주 | 16 | 제자리 걷기 | |
| 노래 | 2 | 오른발로 고무줄 감기 | A동작 |
| | 2 | 왼발로 뒤쪽 고무줄 밟기 | |
| | 2 | 왼발 원래 자리로 가져오기 | |
| | 2 | 오른발 고무줄 풀기 | |
| | 120 | A동작 15번 반복하기 | |

**Tip** 방향을 바꾸며 밟기 동작을 할 수도 있다.

즐겁고 건강한 고무줄놀이 레시피    131

# -❶❷-
# 심화동작 12단계

## 가. 찍기+밟기 동작

A동작

준비

오른쪽 찍기

오른발 들기

밟기

밟기

## 나. 넘기+밟기 동작

B동작

준비

오른발 넘어가기

왼발 넘어가기

왼발 밟기

오른발 밟기

## 다. 점프+감고 풀기 동작

- 제자리에서 2번 점프한다
- 오른발로 고무줄을 감는다.
- 감긴 고무줄을 푼다.
- 제자리에서 2번 점프한다.

*C동작*

| | |
|---|---|
| | 준비 |
| | 제자리에서 점프 |
| | 제자리에서 점프 |
| | 감기 |
| | 풀기 |
| | 제자리에서 점프 |
| | 제자리에서 점프 |

**Tip** 한발씩 번갈아뛰며 돌기 변형

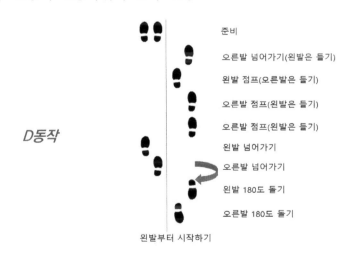

*D동작*

| | |
|---|---|
| | 준비 |
| | 오른발 넘어가기(왼발은 들기) |
| | 왼발 점프(오른발은 들기) |
| | 오른발 점프(왼발은 들기) |
| | 오른발 점프(왼발은 들기) |
| | 왼발 넘어가기 |
| | 오른발 넘어가기 |
| | 왼발 180도 돌기 |
| | 오른발 180도 돌기 |

왼발부터 시작하기

## 라. 심화동작 12단계 안무

### - Kiss Kiss Bang Bang -

안무: 주종민

| 파트 | 박자 | 고무줄놀이 동작 | 비고 |
|---|---|---|---|
| 전주 | 8 | 리듬타기 | |
| 노래 1절 | 16 | *A*동작 4번 반복 | 마지막 4번째 반복할 때 2박자는 밟기 동작 대신에 준비자세로 돌아오기 |
| | 16 | *B*동작 4번 반복 | |
| | 16 | *C*동작 2번 반복 | |
| | 16 | *A*동작 4번 반복 | 마지막 4번째 반복할 때 2박자는 밟기 동작 대신에 준비자세로 돌아오기 |
| | 16 | *B*동작 4번 반복 | |
| | 16 | *C*동작 2번 반복 | |
| 간주 | 16 | 넘어가고 넘어오는 동작 4번 반복 | |
| 노래 2절 | 16 | *A*동작 4번 반복 | 마지막 4번째 반복할 때 |

| | | | |
|---|---|---|---|
| | 16 | *B동작* 4번 반복 | 2박자는 밟기 동작 대신에 준비자세로 돌아오기 |
| | 16 | C동작 2번 반복 | |
| | 16 | *A동작* 4번 반복 | 마지막 4번째 반복할 때 2박자는 밟기 동작 대신에 준비자세로 돌아오기 |
| | 16 | *B동작* 4번 반복 | |
| | 16 | *C동작* 2번 반복 | |
| 후주 | 16 | *A동작* 4번 반복 | 마지막 4번째 반복할 때 2박자는 밟기 동작 대신에 준비자세로 돌아오기 |
| | 16 | *B동작* 4번 반복 | |
| | 16 | *C동작* 2번 반복 | |
| | 16 | *C동작* 2번 반복 | |
| | 2 | 리듬타기 | |

# -❶❸-

# 심화동작 13단계

## 가. 점프+돌기 동작

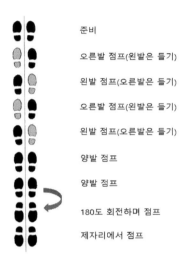

준비

오른발 점프(왼발은 들기)

왼발 점프(오른발은 들기)

오른발 점프(왼발은 들기)

왼발 점프(오른발은 들기)

양발 점프

양발 점프

180도 회전하며 점프

제자리에서 점프

## 나. 밟기+점프하기 동작

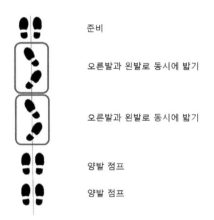

준비

오른발과 왼발로 동시에 밟기

오른발과 왼발로 동시에 밟기

양발 점프

양발 점프

다. 심화동작 13단계 안무

# 학교종

안무: 주종민

| 파트 | 박자 | 고무줄놀이 동작 | 비고 |
|------|------|----------------|------|
| 전주 | 16 | 제자리 걷기 | |
| 노래 | 2 | 오른발과 왼발로 동시에 밟기 | *A동작* |
| | 2 | 양발 점프 | |
| | 14 | *A동작* 7번 반복 | |

# -⑭-

# 심화동작 14단계

---

## 가. 한 발 2번씩 차기 동작

**Tip** 발끝을 포인트 하며 동작을 할 수도 있다.

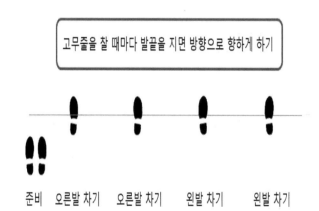

고무줄을 찰 때마다 발끝을 지면 방향으로 향하게 하기

준비    오른발 차기    오른발 차기    왼발 차기    왼발 차기

## 나. 심화동작 14단계 안무

### - 바운스 -

안무: 주종민

| 파트 | 박자 | 고무줄놀이 동작 | 비고 |
|---|---|---|---|
| 전주 | 32 | 제자리 걷기 | |
| 노래 | 4 | 오른발 차기(2번) | *A동작* |
| | 4 | 왼발 차기(2번) | |
| | 4 | 줄 반대편으로 건너가기 | |
| | 4 | 원래 위치로 줄 건너오기 | |
| | 96 | *A동작* 6번 반복 | |

# -❶❺-

# 심화동작 15단계

---

가. 발 번갈아가며 밟기 동작

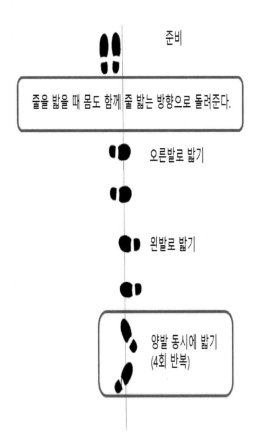

준비

줄을 밟을 때 몸도 함께 줄 밟는 방향으로 돌려준다.

오른발로 밟기

왼발로 밟기

양발 동시에 밟기
(4회 반복)

## 나. 심화동작 15단계 안무

### - I love you -

안무: 주종민

| 파트 | 박자 | 고무줄놀이 동작 | 비고 |
|---|---|---|---|
| 전주 | 32 | 제자리 걷기 | |
| 노래 | 2 | 오른발로 밟기(2번) | |
| | 2 | 왼발로 밟기(2번) | A동작 |
| | 4 | 양발 동시에 밟기 | |
| | 88 | A동작 11번 반복 | |

# 제7부
# 고무줄놀이
# 운동 프로그램

# 프로그램1

## 가. 양발 번갈아 찍기+돌기 동작

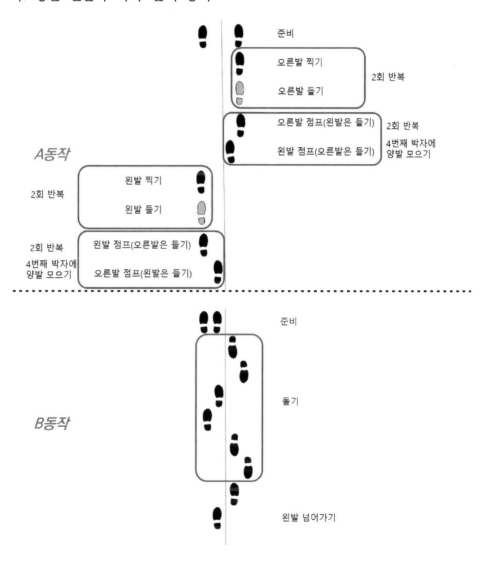

# - ❷ -

# 프로그램2

## 가. 발 번갈아 차기와 한쪽 발 두 번 차기+넘기 동작

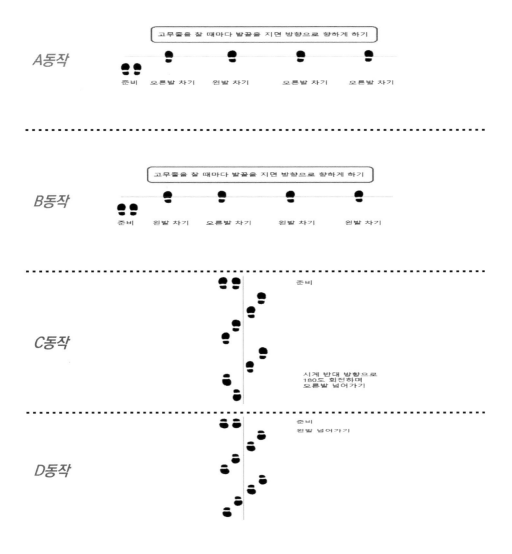

A동작

고무줄을 찰 때마다 발끝을 지면 방향으로 향하게 하기

준비   오른발 차기   왼발 차기   오른발 차기   오른발 차기

B동작

고무줄을 찰 때마다 발끝을 지면 방향으로 향하게 하기

준비   왼발 차기   오른발 차기   왼발 차기   왼발 차기

C동작

준비

시계 반대 방향으로
180도 회전하며
오른발 넘어가기

D동작

준비
왼발 넘어가기

# 프로그램3

## 가. 감기+밟기를 활용한 동작

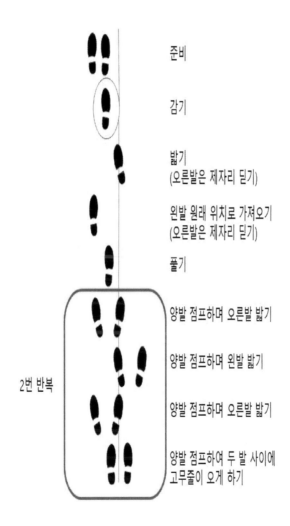

준비

감기

밟기
(오른발은 제자리 딛기)

왼발 원래 위치로 가져오기
(오른발은 제자리 딛기)

풀기

양발 점프하며 오른발 밟기

양발 점프하며 왼발 밟기

2번 반복

양발 점프하며 오른발 밟기

양발 점프하여 두 발 사이에
고무줄이 오게 하기

# -④-

# 프로그램4

## 가. 찍기+넘기(180도 돌기) 안무

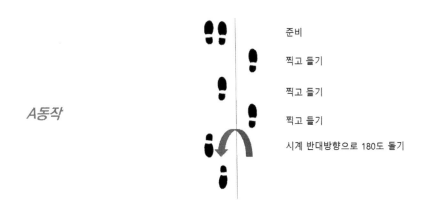

**A동작**

준비

찍고 들기

찍고 들기

찍고 들기

시계 반대방향으로 180도 돌기

**B동작**

준비

왼발부터 넘어가기 기본 동작

# - ❺ -

# 프로그램5

## 가. 차기+밟기 활용 동작

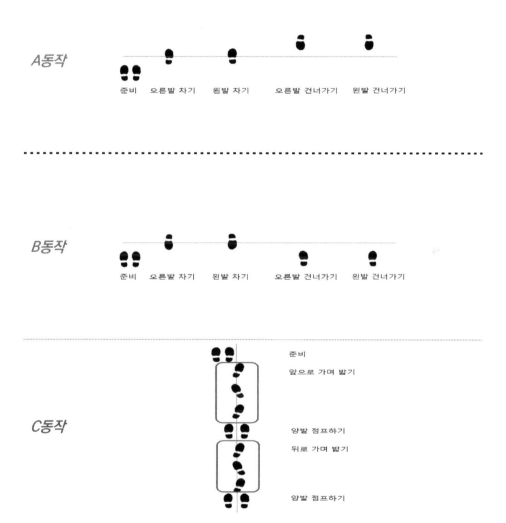

A동작

준비　오른발 차기　왼발 차기　오른발 건너가기　왼발 건너가기

B동작

준비　오른발 차기　왼발 차기　오른발 건너가기　왼발 건너가기

C동작

준비
앞으로 가며 밟기

양발 점프하기
뒤로 가며 밟기

양발 점프하기

## - ⑥ -

# 프로그램6

## 가. 감기+돌기 활용 동작

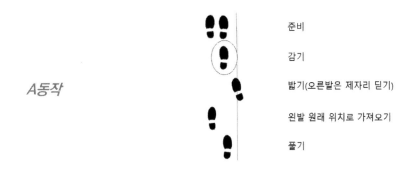

A동작

준비

감기

밟기(오른발은 제자리 딛기)

왼발 원래 위치로 가져오기

풀기

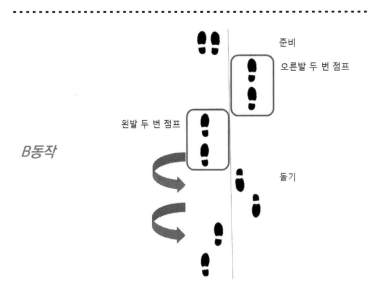

B동작

준비

오른발 두 번 점프

왼발 두 번 점프

돌기

- **7** -

# 프로그램7

## 가. 넘기 변형 동작

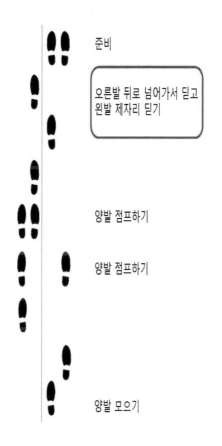

준비

오른발 뒤로 넘어가서 딛고
왼발 제자리 딛기

양발 점프하기

양발 점프하기

양발 모으기

Tip 마지막에 양발을 모으지 않고 반 시계 방향으로 돌아
줄을 넘어가서 동작을 계속 하는 방법도 있다.

# 제8부
# 작가의 말

# 작가의 말

처음 고무줄놀이를 접하였을 때가 초등학교 5학년 때였던 것 같습니다. 그 후로 한참을 잊고 있다가 13년 전 초임 교사 시절 받은 연수를 통해서 고무줄놀이를 다시 만나게 되었습니다.

초등학교 때는 옆에서 여자 아이들이 고무줄놀이를 하는 것을 구경하기만 하여 능숙하게 하는 모습을 보며 나도 저 정도는 할 수 있겠다는 생각을 하였었는데 성인이 되어 연수 시간에 실제로 고무줄놀이 동작을 해 보니 정말 어렵구나 하는 생각이 들었습니다.

고무줄이 무릎 높이 정도 밖에 되지 않는데도 고무줄놀이 동작을 박자에 맞추어 해내기가 쉬운 일이 아니었습니다. 감기 동작을 할 때에는 발에 줄이 꼬여서 엉킨 줄을 손으로 풀어내며 고무줄놀이의 흐름이 끊기는 일도 다반사였습니다.

하지만 고무줄놀이 동작들을 연구하고 연습하다보니 어느새 어색했던 모습은 사라지고 고무줄놀이를 즐기고 있는 자신을 발견하였습니다.

고무줄놀이가 정식 스포츠로 등록되어있지는 않지만 수 많은 정식 스포츠 종목들과 견주어 보았을 때 동작의 다양성, 세련됨, 운동 효과, 재미 등 여러 가지 면에서 결코 뒤떨어지지 않는 우수함을 많이 가진 운동 방법임을 자신 있게 이야기하고 싶습니다.

음악과 고무줄 하나만 있으면 즐겁게 전신운동을 할 수 있는 음악고무줄놀이가 활성화되기를 바라며 이 책을 마무리합니다.